Ścianka działowa

Proszę wybaczyć,
że brak mi sił o ciebie walczyć.
I tak już jest, że drogo płaci ten,
który wybrał nic nie tracić.

CZESŁAW MOZIL „TESCO VALUE” *W SAM RAZ*

Izabela
SOWA

Ścianka działowa

Obraz na okładce:
Adam Świergul

Projekt okładki i stron tytułowych:
Agnieszka Herman

Redakcja:
Katarzyna Kowalska

Korekta:
Ewa Chmielewska

ISBN 978-83-7386-315-6

Wydanie I
Warszawa 2008

Wydawnictwo Nowy Świat
ul. Kopernika 30, 00-336 Warszawa
tel. (22) 826 25 43, faks (22) 826 25 47

INTERNET: www.nowy-swiat.pl

BLOG: blog.nowy-swiat.pl

KLUB CZYTELNIKÓW: klub.nowy-swiat.pl

E-MAIL: wydawnictwo@nowy-swiat.pl

– W Huci tłuką po nerach, żeby śladu nie było, na Kurwanowie zdradzają. Jadą na Bagry i po krzakach takie rzeczy... – baba od zielebców chwyciła się za głowę. – Strach wymawiać. To którego dać ogóra, kochaniutka?

Dama z yorkiem w roli łasiczki wskazała interesujący ją okaz. Siedemnaście centymetrów, średnica pięć, żadnych przebarwień. Prawdziwy David Beckham; imponujący nawet dla doświadczonej w siekaniu mizerii damy.

– Ten może być – szepnęła, delikatnie się zarumieniwszy. – I jeszcze pęczek szklarniowych rzodkiewek.

– Dobry wybór! – pochwaliła baba i wróciła do ponurej wyliczanki. – Chłopy z Grzegórzek znowuż, to ci mają trzy ręce, jedna przy dupie do ściskania gotówki...

– Zostają jeszcze dwie – zauważył emeryt z Grzegórzek, nerwowo naciągając na pośladki oldskulową wiatrówkę po wnuczku gimnazjaliście.

– Obie lewe! – huknęła baba, sięgając po gitana, dla relaksu. – Tylko im donoś, a to, a tamto. Obsługa ful-serwis na okrągło i jeszcze pilnuj, czy ci z domu nie wy-krada kryształów, żeby powymieniać na pornusy.

– A nie myślała pani o cudzoziemcach?

– Gdzie tam! Jeszcze gorsi! Jeden taki Holender van Cośtam to ci swoją żonę w chlewiku trzymał i tuczył żółtym serem. Spleśniałym! A pietruszki, pani kocha-na, nie chcesz? Policzę dwie za jedną. Już pakuję!

– Znowu Niemce to perwersy – wtrąciła sąsiadka baby, handlująca niedojrzałymi cytrusami. – Tylko do Tajlandii jeżdżą, na seksturystykę. Z dziećmi, żółtymi – zniżyła głos – jak ten, proszę ja ciebie, młody poma-rańcz.

– Coś takiego – zmartwiła się dama z łasiczką. – To jeszcze cztery pomidorki, ale czerwieńsze.

– Zaraz zważymy, kochaniutka. O Anglikach bym marnego słowa nie rzekła, żeby tak nie pili. Ale piją – gorzko ciągnęła baba, wolną od papierosa dłonią podli-czając należność. – Dlatego postanowiłam: koniec z fa-cetami. Raz na zawsze.

– Chciałbym wiedzieć, kiedy był początek – szepnął do siebie emeryt.

– A cóż to Pana tak indaguje! Przyjdzie taki i zacze-pia niewinną kobitę. Dlatego chłopstwa nie znoszę. Jak robali! I będę tępić, tępić bez litości!

*

Znakomicie! Teraz podejdzie i zapyta, gdzie mógłby znaleźć Brzytwę. A jeśli baba wyjmie swoją i chlaśnie Fiotronia po dżinsach, odcinając dorodne śliwki jego jąder? Może lepiej wycofać się zawczasu, nie ryzykując rodowych klejnotów? Ale przecież wiedział, co go czeka. Marian—mów mi Lans—Debeściak, stary kumpel i szefunio w jednym, ostrzegał, jak będzie.

– Najpierw podchody niczym na koloniach dla szóstoklasistów. Głupie zadania i dziwne sztuczki niegodne czasu prawdziwego mężczyzny. Ale kiedy wreszcie dotrzesz do Brzytwy – bezwiednie potarł kciukiem krótką linię serca przecinającą wnętrze jego zadbanej dyrektorskiej dłoni – cóż, będzie bolało.

– Żałujesz?

– Nie miałem wyboru. Jeszcze tydzień, dwa i normalnie bym się wykończył.

– Z powodu kota? – zdumiał się Fiotroń. Debeściak wspomniał mu kiedyś, że sprawa dotyczyła łaciatego dachowca, którym opiekował się pod nieobecność kuzynki. A może to ona opiekowała się kotem Debeściaka, Fiotroń sam już nie wie.

– Słuchaj, stary, i tak wychlapałem Ci za dużo. Gdyby nie to, że w pierwszej klasie oddałeś mi swoje lego, a we wrześniu... – Debeściak zawiesił głos, zastanawiając się, czy warto poruszać tamten, w gruncie rzeczy błahy incydent w Sarmackich Wywczasach.

Debeściak przebierał nogami już od maja. Że „koniecznie musimy się wybrać, stary koniu", że po to właśnie wrócił ze Szwecji, chociaż tyle mu płacili na placówce. Jeszcze kilka lat, a byłby bogaty jak troll. Ale koniec leniuchowania, pora wstać z wygodnego fotela Ektorp, szable w dłoń, na koń i do boju!

– Przy okazji przepłuczemy ząb mądrości dobrą polską wódką, nie ryzykując, że nam wypatroszą portfele – oznajmił Debeściak.

Co prawda ostatnią ósemkę stracił tuż po obronie licencjatu, ale od czego wyobraźnia. Zresztą wódzia to tylko rozgrzewka. Naprawdę chodzi o zdrowe Polaków siekanie. Tak długo rozmiękczał gliniasty opór podwładnego i kumpla opowieściami o atrakcjach czekających ich spragnione pałasze, że raz kozie śmierć, Fiotroń uległ. Pójdzie, zgoda, ale tylko w charakterze życzliwego obserwatora, zastrzegł natychmiast.

– Rozumiesz chyba, że w mojej sytuacji. Żona...

– Co tam żona. A duchy teściów? Wścibscy sąsiedzi? Oburzona opinia publiczna? Media szukające taniej sensacji? I nade wszystko własne odbicie w lustrze! – Debeściak zrobił przerażoną minę. – Dlatego masz u mnie sto punktów za odwagę, stary. Oraz

gwarancję nietykalności. No chyba że zmienisz zdanie. Wtedy będzie się działo!

Nazajutrz wyszukali dwie smocze jamy w okolicach Bronowic.

– Jedna to za mało, tyle we mnie żaru – przekonywał Debeściak, klepiąc się po rozporku.

Na pierwszy ogień poszły Sarmackie Wywczasy, gdzie zaoferowano szerszy wachlarz, niekoniecznie wykwintnych, rozrywek. A po wszystkim bigos. Albo żur, jeśli kto chciał uzupełnić poziom utraconych w bojach soków. Wkroczyli witani mrocznym uśmiechem kartofla odzianego w ochroniarski uniform A.D. 1612. Z korytarzyka oświetlonego łańcuchem lampek stylizowanych na łojowe świeczki wypłynęła właścicielka Wywczasów, bujna karawela w przebraniu Podstoliny. Oba kostiumy wypożyczono przed laty z teatralnej garderoby. Po miesiącu właściciel upomniał się o ich zwrot, ale krótka rozmowa z kartoflem przekonała go, by uznać stroje za drobny podarunek, na powitanie w świecie show biznesu! W zamian otrzymał zaproszenie na sobotnie igraszki w staropolskim jacuzzi (z pięćdziesięcioprocentową zniżką na masaż królowej Marysieńki). O dziwo, nie skorzystał do dziś.

– Witamy Wielmożnych Panów! Zapraszamy na pokoje! – ćwierkała Podstolina, mrugając firanami sztucznych rzęs. – Sikorki już czekają w błękitnym salonie.

– No, stary – szepnął Debeściak, podkręciwszy wyimaginowanego wąsa. – *Pora chwycić byka za jaja i pokazać.*

– *Chwycim, a jakże chwycim* – zapewniła Podstolina, prowadząc ich do salonu. – *I ściśniem tak, że nam wszystkim pokaże. Ale najpierw powitalna wódeczka.*

Rozlano stolnika. Po trzeciej setce Podstolina uznała, że najwyższy czas przedstawić sikorki.

– *A oto prawdziwa mistrzyni buzdyganu* – wskazała mocno nadkruszoną tu i tam szatynkę. – *Doświadczona jak sama Ewa Pierdolonka.*

Nie da się ukryć, pomyślał Fiotroń, z przerażeniem obserwując mistrzynię krążącą dookoła ich dżinsów marki Diesel. Czyj buzdygan wybierze? Niech to będzie Debeściak, niech będzie, zaklinał los, bohatersko się uśmiechając. Los dał się uprosić; mistrzyni obrała właściwy cel. Ledwie jednak chwyciła ofiarę za rozpalony do białości rozporek, stał się cud. Jak za dotknięciem czarodziejskiej różdżki Debeściak rozpłynął się w powietrzu, zostawiając po sobie subtelną smużkę najnowszego kenzo. I Fiotronia zmienionego w bryłę bocheńskiej soli. Sekundę później usłyszeli odjeżdżającą z piskiem beemkę. Fiotroń natychmiast odzyskał swobodę ruchów, uiścił rachunek (sto zeta plus ekstra za staropolskie powitanie) i świńskim truchtem podreptał do tramwaju. Nigdy nie wspominali tamtej *sobotniej wyprawy. Debeściak, zgodnie z wyznawaną od przedszkola zasadą, że tłumaczą się tylko niewinni. Fiotroń zaś z obawy, by nie stracić ciepłej posadki. Był przecież świadkiem...* nie, nie chodzi wcale o rejteradę, a o to, co się zdarzyło kilka sekund wcześniej. *Kiedy Pierdolonka dokonała słusznego wyboru, Fiotroń, odetchnąwszy z ulgą, zwrócił lekko głowę w stronę Lansa. Może chciał mu pogratulować albo dodać otuchy, sam już nie pamięta. Nagle dostrzegł spojrzenie Debeściaka i skamieniał. W jasnobłękitnych, pustych na ogół, oczach kolegi Dionizy dostrzegł rozpacz błazna, który dotarł na krawędź przepaści i uświadomił sobie, że nic nie ma już sensu, żadne gierki, wygłupy ani smocze jamy. A skoro nie, czy warto ciągnąć tę farsę? Nie skacz, krzyknął w myślach Fiotroń. Debeściak podniósł znużoną twarz i nagle zrozumiał, że Fiotroń wie. Usiłował się naprędce uśmiechnąć, co przypominało nieudolne próby wciągnięcia przyciasnych slipów jedną (tą rzadziej używaną) dłonią, a chwilę później znikł, zostawiając po sobie subtelną smużkę najnowszego kenzo.*

Nazajutrz udawał radosnego jak zawsze, ale Fiotroń nie dał się zwieść pozorom. Z doświadczenia wiedział, że nic tak nie niszczy przyjaźni jak dług wdzięczności zaciągnięty u własnego bossa. Nawet jeśli to kumpel z piaskownicy. Na szczęście Debeściak stanął na wysokości zadania, pół roku później spłacając wszystko wraz z odsetkami. Kiedy tylko nadarzyła się okazja, podsunął Fiotroniowi odpowiedni kluczyk. Uczciwie przy tym ostrzegając, że będzie szarpało.

– Ale jest lepsza niż toyota Hilux! I dlatego warto wybrać się na jazdę próbną.

Pierwszą i jedyną, powtarzał sobie Fiotroń, usiłując dotrzeć do tej, która miała mu pomóc. Która na pewno mu pomoże, o ile tylko on, Dionizy F. spełni wszystkie warunki. Na razie przeszedł trzy próby i miał wrażenie, że tuła się po gigantycznym urzędzie miasta, odsyłany z pokoju do pokoju przez zirytowane jego pytaniami urzędniczki. Żeby chociaż wiedział, jak owa Brzytwa wygląda. Może to ułatwiłoby poszukiwania.

– Wypatrywałbyś jej na ulicy? – zarechotał Debeściak, zaraz jednak spoważniał i gładząc się po centrum dowodzenia, usiłował znaleźć odpowiednie słowa opisujące aparycję poszukiwanej. – Więc, mocno upraszczając, stary, to powiedzmy... właśnie czerwona toyota Hilux. Toporna, bez wdzięku, trzęsie jak diabli, ale zawiezie cię aż na skraj piekła. Zresztą sam się przekonasz, kiedy już przekręcisz kluczyk w stacyjce.

*

– Słucham – niecierpliwiła się baba, odpalając od sąsiadki kolejnego papierosa. – Pan życzy....

– Kilogram sycylijskich pomidorów, cztery świeże figi, pięć dojrzałych limonek, awokado, sporego bakłażana i litrowy słoik miodu spadziowego – wyrzucił jednym tchem Dionizy. A niech tam, trudno. Trzeba jakoś wkupić się w łaski informatora. Przy okazji zaskoczy żonę, zwłaszcza miodem, na który są oboje uczuleni.

Bez słowa sięgnęła po słój. Ani cienia sympatii, o szacunku należnym kluczowemu klientowi nie wspominając. A przecież tak się starał babie zaimponować wybierając produkty z najwyższej półki. Nawet rottweiler dałby się zmiękczyć, ale nie ona. Musiałby ją popieścić sam David Copperfield. A i to ukradkiem, stosując sobie tylko wiadome sztuczki.

– Coś jeszcze?

– Owszem. Poproszę paczkę suszonych bananów, czosnek niedźwiedzi, dwa pomelo, świeży rozmaryn, duży pęczek koperku i wskazówkę, jak dotrzeć do... do Brzytwy – wydukał wreszcie, zasłoniwszy grubym portfelem okolice jąder.

– Do Brzytwy? Polki znaczy? To najlepiej przez chrzestną.

– A do tej chrzestnej jak?

– Cicho, właśnie myślę. – Baba wzięła głębokiego macha, przymrużając lewe oko. – Pójdziesz pan na bus, co leci spod kerfura przy Zakopiance, i poczekasz na kurs do Myślenic. Wypatruj pan takiej wysokiej, smagławej, z ogromnym afro.

– Na głowie?

– Na kolanach. – Baba przewróciła oczyma. – Wiadomo gdzie, tylko wam, chłopom jedno w głowie.

– Przepraszam – bąknął, kuląc się za górą cytryn.

– Więc ta chrzestna, zapamiętaj pan, wysoka, smagła, z afro NA GŁOWIE, zwykle bierze ostatni kurs po Januszku. Podejdziesz pan do niej, kupisz bilet do Myślenic, normalny, nie ulgowy, i dopiero wtedy zapytasz o Brzytwę. W tej kolejności.

– Dobrze.

– Na trasie powie, co dalej. No, to razem dziewięćdziesiąt cztery, dwadzieścia siedem. Niech będzie dziewięćdziesiąt cztery – oznajmiła tonem królowej podpisującej pierwszy w tym roku akt ułaskawienia.

– Naprawdę dziękuję. Z całego serca. – Fiotroń wręczył pieniądze i już miał ruszyć z kopyta, kiedy baba osadziła go jednym ostrym „zara".

– Tak? – zapytał z trwogą w głosie.

– Zakupów żeś pan zapomniał. To są właśnie chłopy. Bez głowy, nie dziwota, że jaja rządzą.

*

Mógłby, rzecz jasna, polemizować w kwestii jaj, ale po co? Walka z chamem nie ma żadnego sensu, bo ten najpierw sprowadzi nas do swojego poziomu, a potem rozłoży na łopatki, wykorzystując przewagę wielu lat doświadczenia. Dlatego Fiotroń zrobi to co dla higieny psychicznej najlepsze: potraktuje babę od zielebców przedmiotowo jak informatorkę w grze komputerowej. Uzyska odpowiednie wskazówki, zapłaci, ile trzeba i wskoczy na wyższy poziom. Najważniejsze to patrzeć w przyszłość i robić swoje. Dzięki temu można osiągnąć naprawdę wiele. On i Szarlota są tego żywym dowodem. Potrafili planować. W ostatni dzień wakacji już wiedzieli, gdzie pojadą zimą na narty. W noworoczny poranek, na lekkim kacu, obmyślali szczegóły następnego Sylwestra, tuż przed Zaduszkami robili wiosenne porządki. Ostatnio jednak... dziwna sprawa, bo kiedy spytał Szarlotę, co z Mikołajem, odburknęła, że jest za duża na dziecinne igraszki. Wprawdzie zaraz dodała, że mogą sobie sprawić akwarium, ale w jej głosie nie było dawnego entuzjazmu. Właśnie dlatego Dionizy tkwi teraz we mgle, piątą noc z rzędu wyczekując na chrzestną Brzytwy. Czy ją rozpozna? No raczej; niewiele kobiet prowadzi busy, zwłaszcza o tak późnej porze. Sporą nadzieję pokładał też w afro. Takiej fryzury, na głowie czy gdzie indziej trudno dziś nie zauważyć. O, coś jedzie, zaraz będzie wiadomo, czy czeka go kolejna noc we mgle. Bus zahamował ostro, Fiotroń natychmiast podbiegł, szarpnął za drzwiczki i zerknął. Bingo! Wgramolił się więc do środka, z trudem przedzierając się przez siaty z zakupami i gęstwinę afrykańskiego buszu. Jednak to nie fryzura chrzestnej zrobiła na nim największe wrażenie, a wąsy. Ciemne i nad podziw, rzekłbyś po męsku, obfite. Fiotroń przypomniał sobie teraz, że kiedy już odchodził z zakupami, baba napomknęła o wąsie. Spodziewał się jednak kilku włosków wyrastających w kącikach ust. Ot, zwykły postklimakteryjny dodatek towarzyszący zwiędłej szyi i przyciasnemu spodnium. Ale nie czegoś równie... dosadnego! Zrozumiałby jeszcze frywolny chaplinowski wąsik u girlsy tańczącej w nocnym klubie stylizowanym na przedwojenne niemieckie kabarety. Ale nie wąs marszałka u pięćdziesięciolatki z ogromnym afro na głowie. To naprawdę zanadto... I jeszcze te zapachy. Fiotroń, jako wierny użytkownik mondeo, nie miał pojęcia, czym pachnie podmiejski bus, wypełniony czynnikiem ludzkim po godzinach. Tanie piwo, niekoniecznie świeży pot, papierosy bez filtra, biała kiełbasa z grilla i całodzienne zmęczenie. Wymieszane w proporcjach – 6:4:7:3:11. Właśnie miał zemdleć, kiedy chrzestna ocuciła go jednym celnym pytaniem: „dokąd".

– Jeden do Myślenic, proszę – wyszeptał.

– Siedemnaście. Drobnymi, bo nie mam wydać.

– Chciałbym też zapytać, jak dotrzeć do Brzytwy.

– Do Polki znaczy? – odezwał się ktoś z tyłu. – To najlepij bez ogródek przy...

– Zamknie dziób, bo z pojazdu wyrzucę – warknęła chrzestna.

– Już nic nie mówię, szefowo. Buzia na kłódkę!

Chrzestna bez słowa wręczyła Fiotroniowi wydruk z kasy fiskalnej (erzac biletu), wrzuciła do odtwarzacza płytkę z największymi przebojami Abby i pomknęli drogą na Zakopane, tu i tam wypluwając kolejnego pasażera. Wreszcie, kiedy zostali sami, chrzestna ściszyła muzykę i przygładziwszy wąs, podała kolejną wskazówkę. Tym razem numer telefonu, zapisany na wymiętoszonym bilecie do kina. *Dzisiaj kocham, jutro tańczę*, odczytał Fiotroń nie bez trudu. I nie bez zdziwienia. Kto by pomyślał, że chrzestna lubi ckliwe bollywoodzkie musicale.

– To mojego byłego. Telefon oczywiście – wyjaśniła, widząc minę Fiotronia. – Ma z Polką stały kontakt, przez książki. Ciągle tylko latają do biblioteki. A potem jak te dwa mole! Rano, wieczór, a nawet w nocy! Ja to tam nie mam głowy do czytania – mruknęła wzgardliwie, potrząsając plastikowymi lokami. – Aha, tylko niech będzie sobą i powie wprost, że chodzi o Brzytwę. Żadnych przebieranek za szalonego antykwariusza. Mój były zaraz to odkryje i po rozmowie. Straszny z niego cykor, boi się własnego cienia – dodała tonem, który miał tłumaczyć wszystko. – Więc tylko szczerość. Pewnie były i tak rzuci słuchawką ze dwa razy, ale wtedy wcale się nie zrażać, tylko próbować znowu parę dni później. Aż trafi na swoje pięć minut.

Podjechała do pustego przystanku.

– Tu go wyrzucę, bo dalej nie ma sensu. Zaraz będzie przelotowy z Zakopanego.

– A jeśli już jechał?

Byśmy minęli po drodze. Ale gdyby stał się ten cud, że nie przyjedzie, łapać okazje. – Póki są – mrugnęła znacząco. – Polecam TIR-y. Biorą, co stoi. Jeśli stoi. No to powodzenia!

Gdyby wiedział, że będzie łapać okazję o dziesiątej w nocy! Chyba nigdy nie zdecydowałby się na tę podróż. Trwałby dalej w dotychczasowym układzie, z drżeniem oczekując na kolejny fałszywy krok. A jeśli żaden by nie nastąpił (wszak oboje z Szarlotą są tacy ostrożni), a on by czekał i czekał, i czekał w nieskończoność? Potworne! Dlatego stoi tu na deszczu, wypatrując chętnego TIR-a. Przynajmniej ma złudzenie względnej kontroli. A gdyby, przyszło mu nagle do głowy, gdyby tak porozmawiać z żoną. Usiedliby sobie wygodnie na tarasie, sącząc popołudniową frappe. Zacząłby od filiżanki Rosenthala, potem poruszył sprawę czerwonego swetra. Chociaż, zawahał się, może nie warto do tego wracać. Przecież nic wielkiego się nie stało. Zaabsorbowana poszukiwaniem kolczyków z błękitnymi perłami Szarlota nie zauważyła, że jej mąż ma na sobie sweter z kaszmiru. Jej ulubiony designerski raglan, który przywiozła mu z konferencji w Londynie. Jak mogła nie zauważyć? Jak mogła przeoczyć zmysłowy odcień karmazynowej czerwieni zwanej przez specjalistów działu marketingu Ferrari *rosso-corsa*? Ona, która zamawiała senczę w beżowym imbryku tylko wtedy, jeśli miała dopasowany kolorem strój i lakier na paznokciach? A jednak przeoczyła. Kiedy zapytał, co ma włożyć, rzuciła tylko *rosso-corsa*, nie podnosząc oczu znad szufladki.

– Przecież mam go na sobie. – W jego głosie nie było irytacji, raczej zdziwienie.

Szarlota omiotła czujnym wzrokiem tors męża, natychmiast dodając:

– Faktycznie, zupełnie nie zauważyłam w tym pośpiechu. Przecież wiesz, mój drogi, jak nie cierpię się spóźniać do kina, a tu tyle szykowania. No i jeszcze biomet dziś taki niekorzystny. – Więc wszystko w porządku?

Wszystko byłoby w porządku, gdyby nie pewien drobiazg. Kiedy bowiem Szarlota odwróciła głowę, Fiotroń dostrzegł w oczach żony coś, czego wcale się nie spodziewał.

*

– Nie kupuję żadnych książek, gazet, starych map ani komiksów. Jestem wtórnym analfabetą na rencie – usłyszał Fiotroń, a zaraz potem trzask odkładanej słuchawki.

Nawet nie zdążył wyjaśnić, że dzwoni w całkiem innej sprawie. Chrzestna wspomniała wprawdzie, że jej były mąż bardzo się boi świata, ale taka reakcja zakrawała na paranoję. Najwyraźniej w samotności lęki chrzestnego uległy, niecudownemu wcale, pomnożeniu. Cóż, będzie próbować do oporu, jak Szarlota z **filiżanką Rosenthala.**

Wypatrzyła „Smak letnich dni" na Allegro. Przeczytawszy opis porcelanowego cudeńka, natychmiast wzięła udział w licytacji, przegrywając dosłownie w ostatniej sekundzie. Podjęła jeszcze cztery próby, wszystkie chybione, co tylko zaostrzyło jej apetyt. Oczywiście mogłaby podbić cenę tak, żeby nikt nie odważył się licytować dalej, ale to zupełnie nie w jej stylu. Jeśli bowiem Szarlota Fiotroń ma ochotę coś zdobyć, walczy uczciwie, bez uciekania się do tanich (choć drogich w praktyce) sztuczek. Przez najbliższe tygodnie trenowała refleks, licytując drobiazgi, a kiedy była już gotowa, przystąpiła do gry właściwej i w ostatniej sekundzie przebiła ofertę o jedenaście groszy. Zwycięstwo miało miejsce w Dzień Świętego Mikołaja, uznali zatem oboje, że to niezwykły prezent. Co prawda kosztował Szarlotę trzysta dziewięć złotych i równowartość dwudziestu siedmiu próbek unikatowych perfum Rosine (rekwizyty treningowe, które bez żalu podarowała teściowej), ale było warto. „Smak letnich dni" stanął na honorowym miejscu, zdobiąc ich kredensik art déco.

I nagle zdarzył się wypadek. Fiotroń wszedłszy bez pukania do sypialni, zastał żonę nad skorupami filiżanki.

– Jak to się stało? – zapytał wstrząśnięty.

– Ścierałam kurze nową miotełką i zbyt mocno się zamachnęłam. – Drżącymi dłońmi usiłowała zebrać porcelanowe okruchy. – Ach, w sumie to nic takiego. Bzdura. Już od jesieni myślałam o zmianie ekspozycji.

Czyżby się przesłyszał? Przecież zawsze mu powtarzała, że w jej rodzinie szanuje się przeszłość, nawet zakonserwowaną w postaci posrebrzanej łyżeczki. A tu proszę: bzdura.

Teraz poczuł, że musi się śpieszyć. Zaraz po kolacji wymknął się do pobliskiego automatu, by wystukać numer chrzestnego Brzytwy. Siedemnaście długich sygnałów i to wszystko. Potem kolejne próby, wreszcie, tydzień później, chrzestny podniósł słuchawkę tylko po to, by od razu wyrecytować zwyczajową (jak się później okazało) formułkę. Żadnych książek, map, komiksów, wtórny analfabetyzm, renta. O dziwo, dodał jeszcze „do widzenia", a zaraz potem się rozłączył, doprowadzając Dionizego do szewskiej pasji. Po trzech podejściach Fiotroń pomyślał, że musi być równie wytrwały jak Szarlota. Będzie dzwonił dotąd, dopóki nie nawiąże satysfakcjonującego kontaktu. Co godzinę, co kwadrans, codziennie.

*

Aż do wygranej, która nastąpiła w primaaprilisowy poranek. Chrzestny, z jakichś niewyjaśnionych powodów odebrał telefon już po drugim dzwonku.

– Szukam Brzytwy! – huknął mu w ucho Fiotroń tak zdesperowany, że zapomniał się nawet przywitać.

– Brzytwy, pańskiej chrześnicy, w bardzo ważnej, poufnej sprawie. Błagam o pomoc!

– Dzień dobry – odezwał się chrzestny.

– Nie sprzedaję książek ani map, potrzebuję tylko wskazówki, gdzie znajdę Brzytwę!

– Cóż za absurdalny pomysł z tymi mapami. I skąd właściwie ma pan mój numer?

– Od byłej żony. To znaczy pańskiej byłej żony. Jeździ mercedesem Sprinterem na trasie Kraków–Myślenice.

– Jak wygląda?

– Nie wierzy pan, że to od niej – zmartwił się Fiotroń.

– Po prostu jestem ciekaw. Nie widzieliśmy się od upadku muru berlińskiego. I czasem, jakby to ująć, łezka zakręci się w oku. To była, proszę pana, bardzo atrakcyjna kobieta. A charakter jak u pełnej krwi araba!

– Sądziłem, że mają państwo stały kontakt, choćby przez chrześnicę.

– Mamy, telefoniczny. Ale trudno, żebym podczas wymiany urodzinowych życzeń pytał żonę, jak obecnie wygląda. Mogłaby mnie uznać za prymitywnego samca i skreślić, proszę pana, raz na zawsze. A ja nie chcę pogrzebać tych strzępków szans na świetlaną... – Zdenerwowany przełknął ślinę. – Dlatego pytałem pana, choć proszę mi wierzyć, to bardzo krępujące.

Fiotroń sposępniał. Czy warto wdawać się w niesmaczne szczegóły, psując piękne, bo zamglone wspomnienia? A może właśnie warto, może chrzestny doceni odzyskaną wolność i wreszcie zacznie się cieszyć. O ile to możliwe. W sercu tak szczelnie wypełnionym lękiem i tęsknotą zwykle brak miejsca na inne emocje.

– Nie wiem, czego pan oczekuje.

– Prawdy.

Łatwo powiedzieć: prawdy. Nikt nie żąda niczego więcej, a kiedy już dostanie na spodeczku maleńki jej kąsek, mdleje albo się obraża.

– A zatem – zaczął ostrożnie Fiotroń – pana była małżonka nie ma obecnie znaczącej nadwagi ani zbyt wielu zmarszczek. Nie ma też siwych włosów, wystającego zanadto brzucha ani zniszczonych dłoni.

– A co ma?

– Ciekawe spodnie z bordowej satyny, wisior z bursztynów, kowbojskie buty z imitacji wężowej skóry, imponującą perukę afro i wąsy. Bardzo zadbane.

– Strojnisia. Ale co zrobić. Całkiem jeszcze do rzeczy, proszę pana, to i w pretensjach. Z pewnością wiedzie bujne życie.

Fiotroń wzdrygnął się, ale nie skomentował. Żeby czym prędzej zmienić temat, znowu poprosił o kontakt do Brzytwy.

– W trzeci wtorek miesiąca pracuje w barze Wesoły Ogórek, w soboty bywa na wieczorkach tanecznych w jakimś przytulnym, sądząc z nazwy, lokaliku Cocon, przy Gazowej. Znakomicie tańczy argentyńskie tango, więc bez trudu ją pan dostrzeże wśród innych, mniej uzdolnionych tancerek. Jeszcze raz dziękuję za fascynujący opis Helenki. Będę miał o czym rozmyślać w długie jesienne wieczory. Do widzenia.

I to wszystko? Tak po prostu? Fiotroń poczuł się jak nadgorliwy student, który od tygodni usiłuje ustalić termin trudnego egzaminu, a kiedy wreszcie dopada profesora w toalecie, ten wpisuje mu piątkę, niemal za darmo. A może owa piątka to złudzenie? Może chrzestny tylko dowcipkował? Nazwał przecież przytulnym lokalikiem nowoczesną dyskotekę, jedną z największych w okolicy. I jeszcze to tango. On Dionizy, z pewnych względów, wybiera bardziej wyrafinowane rozrywki, ale wie od znajomych, że tango nie jest w Coconie zbyt popularne. Chyba że jako gra wstępna w darkroomach. A zatem primaaprilisowy żarcik? W tej samej chwili Fiotroń zrozumiał: Brzytwa próbuje chronić chrzestnego przed jego rozbuchaną wyobraźnią, używając bezpiecznych sformułowań. Czy będzie też chronić jego? A jeśli, demonstrując solidarność płci, wybierze Szarlotę i udowodni Dionizemu, że zasłużył sobie na takie traktowanie?

Nie, postanowił, wsunąwszy kartę telefoniczną do kieszeni spodni. Nie będzie się martwić na zapas, absolutnie! Zamiast wieść jałowe rozważania, musi się zastanowić, gdzie najłatwiej namierzy Brzytwę. W klubie, w morzu półnagich, spoconych ciał? Wprawdzie kobiet tam jak na lekarstwo (co mu oznajmił rozczarowany tym faktem Debeściak), ale... No i sama wizyta w takim miejscu. Absolutnie nie do przyjęcia dla człowieka o uporządkowanym stanowisku wobec pewnych, jakby to ująć, trendów. Pozostaje bar Wesoły Ogórek, miejmy nadzieję mniej frywolny niż nazwa. Pójdzie tam, rozpozna Brzytwę, opowie o dręczących go podejrzeniach i... nagle ogarnął go niepokój. Ma przed sobą ponad dwadzieścia dni czekania bez żadnych (o zgrozo!) zadań! Teraz uświadomił sobie, że bieganie od baby do chrzestnej było swoistym błogosławieństwem. Miał na co ponarzekać, ale też miał się na czym skupić. Co będzie teraz? Mógłby znowu pojechać w Tatry, tam gdzie odpoczywał jesienią po szkoleniach. Och, cóż to było za miejsce, westchnął z rozrzewnieniem. Niby żadnych ekstrawagancji czy luksusów. Standard obowiązujący na południe od Limanowej, a jednak Fiotroń do dziś wspomina wspaniałe widoki, wygodne łóżko (odrobinę tylko skrzypiące), pyszne piwo, chłodzone w potoku, schludną, małomówną gospodynię i przede wszystkim świniarki. Fiotroń dostrzegł je od razu, zagubione w stadku zwykłych owiec górskich. Dwie smukłe piękności o delikatnych wąskich pyszczkach i skłębionej szarej sierści. Patrząc na filigranową sylwetkę stojącej obok maciorki, Fiotroń nie rozumiał, jak można było zaprzepaścić taki skarb. Zgoda, rasa nieco prymitywna w porównaniu z białą owcą niemiecką, mało wydajna, płochliwa i późno dojrzewająca. Ale poza tym same zalety. Niewybredna, samowystarczalna, wszechstronna. Po prostu ideał. I rarytas; w całym kraju nie ma więcej niż dwieście sztuk. Wszystkie w kontrolowanych hodowlach albo we wrocławskim zoo. Jak trafiły tutaj, wolał nie pytać. Jeszcze wystraszy gospodynię, narażając świniarki na śmiertelne niebezpieczeństwo. Musi zatem milczeć, dopóki nie będzie gotów do działania. O ile będzie, westchnął. Wtedy wróci i zrobi rozeznanie. Może nawet uda mu się odkupić jedną z owiec, tę mniejszą. Ale to kiedyś, jak już zrobi porządek.

Zresztą powiedzmy sobie szczerze, Fiotroń nie ma teraz czasu na wyprawę w góry. Przy tylu zajęciach! Pływanie, tenis, lekcje rosyjskiego, masaż shiatsu (znakomity na ból pleców), kolejny kurs rozwoju duszy, no i oczywiście praca. Wydawałoby się, że nie zostaje wiele godzin na myślenie, a jednak. Musi koniecznie wymyśleć sobie nowe zadania. Proste, ale wymagające nowych, niesprawdzonych procedur. Dzięki nim zajmie umysł, a trzy tygodnie miną bezboleśnie. Niemal, westchnął, przypominając sobie zaraz, że musi się przygotować do rozmowy z Brzytwą. Jako specjalistka na pewno zada mu wiele krępujących pytań. Będzie drążyć i rozkładać ich małżeństwo na czynniki pierwsze. Poprosi też o listę „niepokojących symptomów", które zmotywowały Dionizego do szukania pomocy poza związkiem. Nie jest długa, uświadomił sobie nagle, musi więc zdwoić czujność. Nie, oszczędzi im obojgu upokarzających szopek ze śledzeniem. Nie będzie grzebał w komputerze Szarloty ani przeszukiwał jej osobistych rzeczy. Będzie tylko bardziej uważny, nic ponadto. Nic ponadto, powtórzył na głos i natychmiast się wzdrygnął. To takie, takie (długo szukał właściwego słowa, uciekając przed dosadnym „niegodziwe")... nieprzyjemne. Jak noszenie trzeci dzień tej samej koszuli z plamą po ketchupie. Co gorsza, nadal będzie musiał ją wkładać, a to dlatego, pomyślał ze złością, że Szarlota zachowuje się inaczej niż na początku.

Odchorowywał wtedy kolejny toksyczny romans: z Andreą, ognistą asystentką ich promotora. Poznali się na seminarium. Tuż po niezobowiązującej, jak sądził, kawie Andrea wrzuciła go do kadzi z tabasco, podkręcając palnik do oporu. Dionizy najpierw nie-

co się opierał, ale w tydzień dał się rozgotować na miazgę. Zapomniał, jak się nazywa (był teraz Kotem), gdzie mieszka (niemal co noc zmieniali pokoje, poważnie naruszając oszczędności, które gromadził od czwartego roku studiów) i do czego dąży (poza orgazmem wielokrotnym Andrei). Sens życia? Mój Boże, jego życie było jednym wielkim sensem. I zarazem trzęsieniem ziemi. Kiedy Fiotroń zaczął się rozglądać za odpowiednim pierścionkiem, Andrea wylała mu na głowę ogromne wiadro lodowatej wody.

– Wychodzę za starego – oznajmiła w pewne słoneczne popołudnie, naciągając na zgrabną pupę swoje złociste stringi. – Już ustaliliśmy termin, pierwsza sobota października, pochwaliła się, nie zważając na minę (byłego) kochanka. Będę teraz bardzo zajęta, bo i przymiarki sukni, i dobór właściwego menu, więc sam rozumiesz...

Fiotroń poczuł, jakby ktoś wypompował z pokoju całe powietrze. Z trudem łapiąc oddech, zapytał przerażony, co z nimi będzie.

– Z nami? – Zaśmiała się głosem anioła. – Mój drogi Kocie, nie oczekujesz chyba, że będę zdradzać męża. Mam swoje zasady, a ponadto – przypomniała sobie – jestem monogamistką.

Więc koniec, tak po prostu? Nie mógł uwierzyć.

– Słuchaj, Kocie, było bajecznie, ale życie to nie jebajka – oznajmiła, cmokając go na pocieszenie w prawe ucho. *Chwilę później opuściła na zawsze wymuskaną kawalerkę Fiotronia, zabierając w torebce jego papierosy i sens życia.*

Nawet nie zdążył jej wytłumaczyć, jakim cudem jest ich związek w morzu byle jakich, naskórkowych relacji. Ale jeszcze nie jest za późno. Poprosi Andreę o spotkanie. Jedno, jedyne, niby pożegnalne, na którym wreszcie wyzna jej miłość. A wtedy wszystko ulegnie, ulegnie... na razie wolał nie planować. Tego samego dnia usiłował się dodzwonić do Andrei, ale ta słysząc jego zrozpaczony głos, natychmiast odkładała słuchawkę. Wreszcie, kiedy po tygodniu zmieniła numer telefonu, ostrzegając wcześniej, że poskarży narzeczonemu, zrozumiał, że to prawdziwy koniec. KONIEC! Rozpoczęła się prawdziwa żałoba. Po załatwieniu niezbędnych formalności na uczelni (roczny zdrowotny urlop), Dionizy zaszył się w pokoju, podłączony do kroplówki z piwem i telewizyjną zalewajką. Właśnie szykował sobie nową porcję pożywienia (trzy portery, pięć sitcomów, paczka chipsów, zamieszać i wtrząchnąć), kiedy zadzwonił Debeściak.

– Ja wiem, stary, że żyjesz w nirwanie, ale zaniedbywać kumpli do tego stopnia? – *Z niezadowoleniem pocmokał.* – Nie widziałem cię ponad cztery tygodnie! Jeszcze chwila i nie poznamy się na ulicy!

– Miałem podły...

– Kumam, nie chcesz zapeszyć szczęścia. Ale wystarczy powiedzieć, że jesteś zajęty – ciągnął Debeściak, a nie doczekawszy się reakcji, wyjaśnił, po co dzwoni: – Jest imprezka za miastem, w przyszłą sobotę. Gorący grill, zimna żubrówka, a nawet balety. Będzie super! Słowo kumpla! Więc ruszcie tyłki spod kołdry i do auta!

– Już nie jesteśmy razem – wyjawił Fiotroń, z trudem opanowując mdłości.

– Aha. – Debeściak nieco się stropił. – Myślałem, że ten schrypnięty głos to od nadmiaru miłosnych serenad. No dobra – odchrząknął – tym bardziej przyjeżdżaj, chłopie. Nie ma nic gorszego niż płakać do lustra. Wiem, bo trzy lata temu przeżyłem taką historię, że twoja to scenka z telenoweli. Otrząsnąłem się tylko dlatego, że wylazłem z domu. I tobie radzę to samo, stary. Opuść fotel!

Debeściak miał rację. Wśród ludzi łatwiej odzyskać kontrolę nad bólem. Zamiast dać mu się sponiewierać do reszty, musisz się skupić na autoprezentacji. Nie zważając na rosnący ucisk w gardle, przypinasz do bladej twarzy uśmiech klowna i pokazujesz towarzystwu, że potrafisz się bawić. Sypiesz żartami i pajacujesz, śmiejąc się przy tym aż do rozpuku. Aż do łez. I nagle, po trzech dobach cyrkowych wygłupów uświadamiasz sobie, że przez ostatni kwadrans nic cię nie bolało. Teraz, owszem, pulsujący ból wrócił, ale *już wiesz, że wygrałeś. Wygrałeś! Więc pora na kolejny żarcik! W takiej chwili bolesnej ulgi Fiotroń dostrzegł Szarlotę. Wracali całą grupką z wieczornego spaceru. Dionizy zawzięcie dowcipkował, wzbudzając pełne współczucia zrozumienie (Debeściak zdążył powiadomić wszystkich, że ta szmata Andrea Z. wystawiła kumpla do wiatru). Tu i ówdzie ktoś taktownie zachichotał. Nagle, gdzieś za lewym uchem Fiotroń usłyszał prawdziwą salwę. Zdziwiony reakcją na wyjątkowo nieudany (nawet on musiał przyznać) żarcik, odwrócił się i dostrzegł filigranową szatynkę w sukience z surowego jedwabiu. Cóż za prostota kroju, stwierdził, wspominając kuszącą obfitość spódnic gorącej Andrei. A żakiecik? Jakby wyjęła go z zamrażalnika. Wraz z bielizną i bucikami. Nawet pot, który perlił się na rasowym nosku dziewczyny przypominał krople wieczornej rosy. Fiotroń dawno nie spotkał kogoś równie świeżego. I przejrzystego niczym aromat białej herbaty, z kropelką mięty. Tylko ten śmiech, potrząsnął głową. Wyzywający, przesadny, po prostu na siłę, dodał Fiotroń, uświadamiając sobie wreszcie, że nie on jeden usiłuje zapomnieć o bólu. Tego wieczoru wytrwale szukał jej towarzystwa, niejako w akcie solidarności. Dziewczyna dostrzegła jego starania i po chwili udało im się wymknąć na taras, pod pretekstem zebrania brudnych naczyń. Przez parę minut krzątali się ze zdwojoną energią, żartując do granic* swoich możliwości. Nagle, zerknąwszy na siebie, spoważnieli, by odetchnąć z prawdziwą ulgą. Tego właśnie mi trzeba, uznał Fiotroń, delektując się ciszą. Subtelności, prostoty i odświeżającego powietrza prosto z lodówki. Po powrocie zaprosił dziewczynę na spacer do ogrodu botanicznego, gdzie podziwiali różaneczniki i sosny japońskie. Spotkanie przyniosło im obojgu ukojenie, umówili się więc na następne. Przez kolejne miesiące spacerowali po całym mieście, uzgadniając wspólne stanowisko w sprawie dzieci, wystroju wnętrz, ulubionych sztuk, wakacji nad morzem i balkonowych kwiatów.

Podzielili się również bolesnymi wspomnieniami. Właśnie wtedy Szarlota przekonała Fiotronia, że nie warto marnować roku na uczelni z powodu zwykłej przygody. Przygody, powtórzyła z naciskiem, marginalizując udział Andrei, mają to do siebie, że dosyć szybko zamieniają się w przykre wspomnienia. To już wystarczająco wysokie koszty za kilka minut wątpliwej przyjemności. Nie ma sensu dokładać „odsetek", pozwalając, by kiepska przeszłość wpływała na nasze obecne życie. Fiotroń skrócił więc urlop na uczelni, dokładając wszelkich starań, by obronić się w terminie. Tydzień później wzięli ślub, spędzili przykładny miesiąc miodowy w Wenecji i żyli już prawie szczęśliwie. Aż do zeszłej jesieni.

*

Wrócił ze szkolenia w górach i już od progu wyczuł zmianę. Najpierw dostrzegł ściankę dzielącą ich przestronny gabinet na dwa przytulne pokoiki. Niby ładnie i funkcjonalnie, ale, zdenerwowany przygryzł dolną wargę, zadecydowano za niego!

– To tylko cienka ścianka z gips-kartonu – przekonywała Szarlota, dekorując swą bladą twarz wymuszonym uśmiechem. – Narzekałeś przecież, że w gabinecie nie możesz się skupić. Teraz będziesz mieć więcej prywatności. I ja również – dodała, nalewając im obojgu bezkofeinowej robusty.

Nie poprosił, żeby wyjaśniła, co ma na myśli. Podziękował za niespodziankę, chwaląc jakość wykonania, zapytał o koszty i szybko uciął temat. Kiedy Szarlota, dziwnie przygnębiona, wyszła do łazienki, Fiotroń niespokojnie rozejrzał się po salonie. Niby wszystko takie samo. Strzyżony dywan, modne morelowe ściany, gustowny bukiecik późnych astrów w przeźroczystym wazonie, filmy ułożone w trzech zgrabnych kupkach, a jednak, czuł wyraźnie, coś się zmieniło. Jakby pod jego nieobecność ustalono nowe reguły... gry to chyba niewłaściwe słowo. Szarlota nie grywa nawet w samotnika. Uparcie odmawia udziału we wszelkich zabawach, a kiedy Fiotroń ze zdziwieniem odkrył, że dziewczyna nie zna remika ani tysiąca, poirytowana odparła, że nie jeździła na kolonie z powodu lęków przed bakteriami. Więc nie tyle reguły gry, co zmiana... sam nie umiał określić, czego. Jakby podano mu ulubione espresso w innej niż zazwyczaj, choć równie eleganckiej filiżance. Niby żadna różnica, a jednak, zamiast skupić się na smaku kawy, człowiek zwraca uwagę na kształt uszka i złocony brzeżek. Otóż to, podekscytowany pstryknął palcami. Stało się coś, co sprawiło, że on, Fiotroń, baczniej przygląda się żonie. Jakby straciła dawną przejrzystość. Ale czy zdoła to wyjaśnić Brzytwie? I czy osoba równie toporna jak terenówka pojmie subtelność jego rozterek, zastanawiał się Dionizy, z niepokojem czekając, aż zostanie obsłużony. Terenówka sunęła właśnie przez jadalnię, obciążona ogromną tacą pełną tybetańskich pyszności. Pierożki momo, zupa sambar, wonne kimchee, deser mnicha. I napój życia, wyduszony z orkiszowych kiełków. Ze swadą rozrzuciła kamionkowe naczynia dookoła klientki, plamiąc sosem raita jej ortalionowy trencz, zawieszony na jednym z krzeseł. Dostrzegła plamę, podbiegła do płaszcza i kucnąwszy tak gwałtownie, aż chrupnęło jej w kolanach, jednym żabim ruchem języka wciągnęła sos. Zanim Fiotroń zdążył otworzyć ze zdziwienia usta, Brzytwa już odfrunęła na zaplecze, po nową porcję pierożków momo. Kiedy wróciła, klientka wskazała mokry ślad na trenczu.

– Wyczyszczone na wysoki połysk – pochwaliła.

– Staram się – odparła Brzytwa, ostrym ślizgiem osadzając momo tuż pod Fiotroniowym podbródkiem.

Jeszcze parę centymetrów i wbiłaby mu talerz w samo serce. – Ostrzegam, że sos daje po krtani. I wypala wąsy. Na początek wystarczy kropla wielkości pestki. W razie czego, popij wodą.

Tak po prostu na ty? zdziwił się Fiotroń. Bez trzech wstępnych wizyt? Bez wspólnej kolacji i lampki dobrego wina? Nie zdążył podjąć decyzji, czy taka forma pochlebia mu czy też niekoniecznie, kiedy ostry atak kaszlu zrzucił go z krzesła, powalając na kolana. I pewnie tak wyglądałyby ostatnie dwie minuty jego życia, gdyby nie błyskawiczna reakcja Brzytwy. Jednym susem dopadła stolika, wychyliła zawartość szklanki i w ćwierć sekundy wlała sinemu Fiotroniowi do gardła.

– Mówiłam jedną kroplę, maleńką – powtórzyła z wyrzutem, kiedy już odzyskał kontrolę nad odcinkiem krtań–tchawica.

Fiotroń chętnie by przeprosił, podziękował i poprosił o dwa litry mineralnej bez gazu, ale mógł tylko wycharczeć dwie samogłoski: A i Y.

– Przeprosiny przyjęte, woda zaraz będzie.

Czy uznał, że jest podobna do toyoty? Kiedy już przetarł załzawione od kaszlu oczy, przede wszystkim nie dostrzegł (hurra!!!) żadnego podobieństwa do chrzestnej. A jednak po chwili ulgi poczuł lekkie rozczarowanie. Nie oczekiwał wprawdzie syren z Tytana ani tym bardziej drugiej Szarloty, ale miał nadzieję, że Debeściak przesadza, jak zwykle. No dobra, bądźmy

szczerzy: Fiotroń liczył po cichu na sympatyczną szatynkę obdarzoną naturalnym słowiańskim wdziękiem
rozmiar 75C. Pełno takich pracuje za barem, więc dlaczego nie Brzytwa. Tymczasem, jeśli już szukać po-
równań, napotkał na swej drodze... Audrey Hepburn.
Karykaturalnie przerysowaną, można by śmiało rzec,
w wersji sado-maso, a jednak Audrey. Nie chodzi tylko
o chudość kończyn, ciemne włosy czy mocne kreski na
powiekach. Patrząc na Brzytwę, Fiotroń pomyślał, że
może przyszłe pokolenia docenią jej szeroko niepoję-
ty urok, tak jak po latach doceniamy niebanalną urodę
Audrey, zapominając o bazarowych wdziękach Zośki
Loren. Może kiedyś odkryje ją nowy Helmut Newton,
a kobiety będą zamawiać u chirurgów blizny na czole
„à la Brzytwa", niestety, na razie czeka w długiej ko-
lejce na swoje pięć minut blasku i chwały. Oczywiście
Fiotroń mógł trafić gorzej: na kopię wąsatej chrzestnej
lub na prawdziwą *butch* (tak właśnie wyobrażał sobie
toyotę Hilux). Sprane dżinsy, flanelowa koszula, ame-
rykański jeżyk, pożółkłe od nikotyny paluchy, dwieście
kolczyków w małżowinach usznych i papieros bez filtra
wbity w jamę po lewej piątce. Góra albo dół, zależnie
od warunków atmosferycznych panujących na Podha-
lu. Więc nie jest tak źle, powtórzył niczym mantrę. Poza
tym, przypomniał sobie nagle, to właśnie Brzytwa ura-
towała mu przed chwilą życie i kto wie, czy znowu...
   – Na koszt firmy.

Wręczyła mu sporą butlę piwniczanki. Wypił połowę, odchrząknął, zbierając strzępy odwagi przed czekającą go rozmową na temat żony. Może najpierw kilka miłych słów dla ocieplenia atmosfery. Tego przecież uczył na kursach negocjacji w cywilizowanej części kraju.

– Sam Bond nie zrobiłby tego lepiej – wyznał, czekając na reakcję.

– A kim jest u licha ten cały Bond?

*

– Nie zna pani Bonda, naprawdę? – w głosie Fiotronia dało się słyszeć oburzenie.

– Niby dlaczego miałabym go znać? Zdradź mi, to ktoś ważny? Drugi Gaudi albo ekobojownik walczący o prawa krokodyli kubańskich?

– Jest bohaterem zbiorowej wyobraźni – wyjaśnił, uświadamiając sobie zaraz, że było to pytanie retoryczne. Brzytwa wyraźnie kpiła z popularności agenta wszech czasów. Kpiła w żywe oczy. On zaś potraktował jej wygłupy tak dosłownie. I jeszcze ten niefortunny wypadek z ostrym sosem. Co za wstyd, i to na pierwszym spotkaniu, kiedy należy zadbać o właściwą autoprezentację.

– Jak Reksio? – dopytywała dalej, z niewinną miną.

– Ale bez łatek, wymienił je na nowoczesne uzbrojenie – usiłował żartować.

– Cenię sobie pokojowe rozwiązania – zgasiła go natychmiast. – No, skoro już ci lepiej, to pędzę do roboty, bo młyn. Jeszcze tylko lekki klar i spadam.

Energicznie przetarła stolik, omal nie zrzucając na podłogę glinianego wazonika. Fiotroń poczuł, że pora na jego ruch. Teraz albo nigdy.

– Potrzebuję pomocy. W bardzo delikatnej sprawie – dodał zakłopotany.

– Nie dostaję innych – zapewniła, zupełnie nie zdziwiona prośbą Fiotronia. To znaczy, że cieszy się sporym powodzeniem. A to z kolei oznaczałoby, że jest naprawdę dobra. Nieatrakcyjna, toporna, złośliwa (patrz: Reksio), ale skuteczna. Zawsze coś.

– Pewnie zależy ci na czasie. – Kiwnął głową. – Więc od razu przejdziemy do konkretów. Tylko zgłoszę szefowi przerwę na herbatę.

Wybiegła na zaplecze, rozległ się huk bitych talerzy, dwie minuty później była już z powrotem.

– Mamy kwadransik – oznajmiła, ciężko opadając na drewniany stołek.

Fiotroń westchnął. Piętnaście minut, żeby odsłonić kotary w ich małżeńskim salonie. Obnażyć swoją duszę przy barowym stoliku. Nie tego oczekiwał od profesjonalnego detektywa, ale ma jakieś inne wyjście?

– No więc?

Znacząco postukała zgiętym palcem w cyferblat swojego przestarzałego zegarka z Węgier. Jakie duże dłonie, zauważył, zupełnie nie pasują do reszty. Zwłaszcza lewa, o dziwnie przykurczonych palcach, jakby ściskała niewidzialną piłeczkę tenisową, pomyślał Fiotroń. Więc stąd ta toporność ruchów i wypadki z talerzami. Zastanawiające, czemu zatrudniono ją jako kelnerkę. Może przyciąga klientów bogatą osobowością?

– Jeśli mam ci pomóc, muszę wiedzieć w czym – odezwała się znowu, ponaglającym tonem.

– Chodzi o to... – Fiotroń zaczął wreszcie, utkwiwszy wzrok w pustej szklance – nie jestem pewien, właściwie to tylko przypuszczenia, ale... wydaje mi się, że żona, to znaczy moja żona – podkreślił – ma romans.

– Wydaje ci się. A ty chciałbyś mieć pewność? Dziwne. Na ogół ludzie wolą nie wiedzieć. Zwłaszcza tyle lat po ślubie.

– Naprawdę? – zapytał zdziwiony, skąd Brzytwa zna długość ich małżeńskiego stażu. Nie mogła się przecież domyślić po złotym krążku ciasno wbitym w serdeczny palec; przezornie zamówili z Szarlotą obrączki o dwa numery większe. Żeby nie krępowały. Rok później przestali je nosić, bo ciągle spadały im w najmniej oczekiwanych momentach. Wspólnie więc ustalili, że zwiążą je razem atłasową tasiemką i umieszczą w szkatułce na cenne pamiątki.

– Pewnie chcą zachować status quo, jak sądzę. Co oznaczałoby, że ty, mój drogi pragniesz...

– Mam już dość niepewności. To takie dziwne?

– A skąd podejrzenia?

– Czuję, że jest między nami inaczej niż kiedyś. Jakby ktoś zmienił skład powietrza w naszym mieszkaniu. Być może ma to związek z przeprowadzką – dodał natychmiast. – Widzi pani, półtora roku temu przyjechaliśmy do Krakowa.

I do dziś nie może się przyzwyczaić. Ten brak porządku i senna atmosfera niczym z poprzedniej epoki. No a poza tym wiatr, nie sposób ułożyć eleganckiej fryzury. Wystarczy krótki spacer i kosmyki sterczą ci na wszystkie strony. Odkąd się tu przenieśli, Fiotroń zużywa trzy razy więcej modelującej gumy. Szarlota zaś ścięła włosy na pazia. Są jeszcze inne niedogodności. Na przykład korki. W jego MIEŚCIE korek pojawiał się tam, gdzie go oczekiwano. O stałej porze dnia i roku. Natomiast tu: istny bałagan. Poza szczytem, na wakacjach, w bocznej mało uczęszczanej uliczce. Zgroza! A co powiedzieć o halnym, który zmienia łagodnego baranka w pijaną bestię? Lepiej nie mówić ani słowa. Zaś ludzie, to ci dopiero dziwo! Owszem, bywają całkiem mili, zwłaszcza w tramwaju, kiedy chcesz ich zapytać o drogę. W jego stronach informacji udziela wyłącznie prowadzący pojazd. Ale to kwestia profesjonalizmu i zdrowego dystansu. W MIEŚCIE Dionizego nikt się nie spoufala bez potrzeby. Tu zaś barmani mówią ci na ty, ekspedienci ze sklepu komputerowego podważają twoje kompetencje. I każdy aż przebiera nogami, żeby wtrącić swoje trzy, nic nieważne, grosze. Albo z zapałem szaleńca opowiada o księżycowych planach, zamiast zabrać się do pracy. Kawiarniane marzycielstwo, mruknął pod nosem Fiotroń i czekanie na cud, który już dawno ozdabia salony bardziej zaradnych, w cywilizowanej części kraju.

– Od razu czułeś się dziwnie? I nic z tym nie zrobiłeś?

– To nie tak – sprostował urażony. – Pierwszy rok byliśmy zajęci adaptowaniem się do nowych warunków. Znalezienie właściwego mieszkania, załatwianie formalności związanych z kredytem....

– I remont.

– Szarlota uparła się, że nie będzie żadnych remontów.

Dlatego zdecydowali się na gotowy, urządzony już przez projektantów, apartament na Dębnikach. Nie musieli nawet przewozić mebli, poza ich ulubionym kredensem art déco i biurkami, które stanęły w pokoju przedzielonym ścianką.

– To jedyna poprawka, którą wprowadziliśmy. To znaczy żona – dodał po chwili.

– A książki? – zainteresowała się Brzytwa.

– Specjalistyczne zabraliśmy ze sobą. Biblioteczkę z beletrystyką skomponował zatrudniony przez Szarlotę fachowiec. Same najlepsze pozycje, głównie nowości.

– I jak? Jesteś zadowolony z wyboru?

Nie miał czasu ocenić. Zresztą nie o lekturę tu chodzi, a o wyznaczenie nowych standardów konsumpcji. Pod tym względem Fiotroń należy do pokolenia sosu pesto. Kiedyś zagorzali fani Brygady Kryzys (do czego nie lubią się przyznawać, nawet po trzech drinkach z malibu), a obecnie kadra kierownicza w liczących się korporacjach. Co oczywiście zobowiązuje. Markowe ciuchy, zgrabna sportowa sylwetka (albo mocno wciągnięty brzuch), kosmetyki organiczne (wybór nie ma nic wspólnego z szacunkiem dla środowiska) i zakupy w delikatesach. Dawni wielbiciele mielonki wyjadanej z puszki wspólnym widelcem lub ubabranymi paluchami, dziś preferują owoce morza, krem truflowy, *pecorino romano*, suszoną hiszpańską szynkę. I pesto. Nawet zaskoczeni niespodziewaną wizytą wyczarują w mig egzotyczne menu do tysiąca ośmiuset kalorii. Podane na kwadratowych talerzach. Fiotroń wyczuwa jednak u kolegów pewne znużenie i chęć konsumowania czegoś mniej... dosłownego. Za rok, dwa zainteresują się szeroko pojętą kulturą. Wyjdą ponad filmy przygodowe i festiwal zupy. Wreszcie zechcą zainwestować w domową biblioteczkę. Znakomicie wyposażoną: kontrowersyjne nowości, sporo młodej ambitnej literatury, klasyka w twardych okładkach, dzieła noblistów, owszem, ale bez ostentacji. Raczej upchnięte gdzieś na bocznych półkach, niczym w Empiku. I żadnych ramot rodem z babcinego pawlacza. Jeśli socrealizm, to jako zabawny akcent, kolejny dowód potwierdzający wyrafinowane poczucie humoru. Taką właśnie biblioteczkę zamówiła Szarlota, ciesząc się, że już dziś wyznaczają nowe trendy. A na lekturę przyjdzie czas potem.

– Na razie przeczytałem opowiadania – rzucił szybko. Dwa tomy, chyba Kereta. Łatwiej je przekartkować w przerwie. Na reklamy, na kawę, na życie.

– Lubisz krótkie kawałki? – ucieszyła się Brzytwa.

– Ja też. Właściwie od kilku lat nie czytam niczego innego.

– Wolę powieści – przyznał. – Zwłaszcza klasykę, tę z najwyższej półki.

– Nie masz problemu z sięganiem?

– Stoją na właściwym miejscu – odparował.

– Musiało cię to sporo kosztować.

Bał się zapytać, co ma na myśli. Czy uważa go za nuworysza beztrosko sypiącego pieniędzmi? Lepiej, jeśli od razu przedstawi swoją sytuację finansową, zanim ona... aż zawstydził się swoich podejrzeń. Nie, to niesmaczny pomysł, przyznał zaraz. Ale dla pewności wyjaśni Brzytwie, że nie jest Onassisem. Żeby nie robiła sobie złudnych nadziei.

– Wydaliśmy wszystkie – podkreślił – wszystkie na-sze oszczędności, pieniądze ze sprzedaży mieszkania po moich dziadkach i cały kredyt.

Wzięty tylko przez żonę, co, zważywszy obecną sy-tuację, nie poprawia mu samopoczucia. Ale, przypo-mniał sobie zaraz, to był pomysł Szarloty. Od począt-ku się upierała, podsuwając same rozsądne argumenty. Że przecież więcej włożył na początku i kupił drogi sa-mochód, także na kredyt. Poza tym płaci wszystkie ra-chunki i argument ostatni: w razie potrzeby będzie mógł wziąć pożyczkę, kiedy już spłaci mondeo. Ustąpił, a teraz, siedząc naprzeciw Brzytwy, czuje się jakoś tak niekomfortowo.

– Kiedy spostrzegłeś, że coś się zmieniło?

– Chyba w październiku. Najpierw wydawało mi się, że to jesienny spleen, a potem... żona zaczęła się zacho-wywać inaczej.

– To znaczy?

– Była jakaś nieobecna, rozkojarzona. No i zaczęła się tłumaczyć z podejmowanych decyzji. Wcześniej...

Wcześniej po prostu go informowała, z grzeczności dodając lakoniczne uzasadnienie. Bo tak wygodniej, będzie więcej miejsca, pada deszcz, boli mnie głowa, przekroczyłam limit. Czy raczej, nie mogę go przekro-czyć. Była jedną z niewielu znanych mu kobiet, która nie zasypywała ciszy zbędnymi słowami. Potrafiła go-dzinami smakować milczenie. I nagle zaczęła się tłu-maczyć, usprawiedliwiać, wyjaśniać.

– A inne niepokojące objawy?

– Och, to zaledwie drobiazgi – uprzedził. – Ale dosyć niepokojące. W listopadzie, na przykład, nie zauważyła, że mam na sobie jej ulubiony sweter z kaszmiru. Szykowaliśmy się do kina, pytam co włożyć. Żona kręcąc się po salonie, odparła, żebym wziął czerwony. Właśnie mam na sobie, oznajmiłem.

– A ona?

– Była bardzo zdenerwowana. Jakbym przyłapał ją na kłamstwie.

– Wcześniej nigdy się nie myliła? – Pokręcił głową.

– Było coś jeszcze?

Fiotroń streścił historię z filiżanką.

– Dziwne esemesy albo maile? – podsunęła Brzytwa.

– Nie zaglądamy sobie do skrzynek. Zresztą nasze komputery stoją w osobnych gabinetach, oddzielonych ścianką działową.

– I żadne nie wchodzi bez pukania.

Nie było to pytanie, raczej stwierdzenie faktu, ale i tak przytaknął.

– Głuche telefony? – dopytywała dalej, nieco znudzonym tonem. – Zmiana stylu? Droga seksowna bielizna?

– Moja żona nie nosi innej – zapewnił Fiotroń, z pewną wyższością.

– Więc może dla odmiany wietnamska, tandetna z bazaru?

– Żadnych tego rodzaju ekstrawagancji.

– A niecodzienne zakupy?

Zamyślił się, niepewny, czy warto o tym wspominać.

– Było coś takiego – przyznał wreszcie. – Parę dni temu żona przyniosła do mieszkania model samolotu B-52 do składania. Bardzo pracochłonny.

– Latająca forteca. Zapytałeś po co i dla kogo?

– Odparła, że szuka nowych sposobów rozwinięcia wyobraźni przestrzennej. A poza tym lubi wyzwania.

– Brzmi wiarygodnie.

– Brzmiałoby, gdyby to był baśniowy zamek Królowej Śniegu. Ale nie bombowiec!

– Ma coś do samolotów?

– Moja żona toleruje maszyny tylko dlatego, że oszczędzają czas. Ale podchodzi do nich jak przedwojenne angielskie damy do rikszarzy z Filipin. Auta, na przykład rozpoznaje wyłącznie po kolorze karoserii. No i jest pacyfistką.

– Krótko mówiąc wybrała pierwszy lepszy model, bez zastanowienia. Dziwne, zważywszy pracochłonność projektu. A ta druga sytuacja?

– To było wczoraj. Przyniosła do domu puzzle. Na dziewięć tysięcy elementów.

– Dziewięć tysięcy? Mnie nie starczyłoby cierpliwości nawet na pięćset kawałków – parsknęła Brzytwa. –

Jestem leń jak stąd na Księżyc i z powrotem. Strasznie ambitna ta twoja żonka.

– Zwłaszcza że nigdy wcześniej nie lubiła puzzli – wtrącił Fiotroń. – Uważa, że to rozrywka dla osób, które nie mają pomysłu na własne życie.

– A ona oczywiście ma. – Lekko się uśmiechnęła. – Może to wyjątkowy prezent.

– Na pewno nie dla mnie – odparł zdecydowanym tonem. Brzytwa powinna zrozumieć, że mężczyźni jego pokroju nie marnują czasu na głupoty. – Wiem, że to wszystko drobiazgi niewarte...

– I tu się mylisz.

– Naprawdę? – Niemal poczuł ulgę. Zdecydował się streścić epizod z ósemką. – Więc można liczyć na pani pomoc?

– Sama nie wiem. – Ziewnęła, wyciągając aż pod sufit swoje niewiarygodnie chude i blade ręce. – Wspomniałam już, że cierpię na potężnego lenia? Zwłaszcza wiosną. Ale jest w tej sprawie coś, co nie daje mi spokoju. Więc zgoda! – rzuciła szybko, wstając od stołu. – Konkrety obgadamy pojutrze, punkt dziewiąta.

– Tutaj? – przestraszył się Fiotroń.

– Wolisz bardziej intymną atmosferę? Dobra. Krzemionki, brama od Parkowej za Disneylandem.

– Disneylandem?

– Tak nazywamy bajkowy kościół Świętego Józefa. Zobaczysz, zrozumiesz. Myślałeś, że cię zapraszam do wesołego miasteczka? – Przytaknął. – Spokojnie. Na rollercoaster mamy jeszcze czas.

*

Zdenerwowany zerwał się już o świcie. Szybki prysznic, café latte zamiast śniadania (w tym stanie napięcia nie przełknąłby ani okrucha), standardowa wymiana porannych grzeczności z żoną, rzut oka na termometr za oknem i pora pędzić na ósemkę. Właśnie, skoro już mowa o ósemce...

Niedawno wydarzyła się kolejna dziwna historia. Fiotroń, wracając wyjatkowo na piechotę z biura, zauważył żonę na przystanku tuż obok Wawelu. Podszedł, przywitał się, nieprzyjemnie zaskoczony jej miną. Wcale się nie ucieszyła ze spotkania. Ale przecież wiedział, że Szarlota nie znosi wszystkiego, co zaburza jej rytm dnia. Nieoczekiwanych spotkań, porannych telefonów, nagłego deszczu albo spóźniającej się taksówki. Zresztą zaraz przywołała swoją starannie umalowaną twarz do porządku, ozdabiając ją nieco zmęczonym uśmiechem.

– Taka dziś jestem zagoniona – dodała, w formie usprawiedliwienia. – Muszę dowieźć rozliczenia Elżbiecie, pamiętasz, prowadzi mnie i Darii księgowość. – Przytaknął. – Jest lepsza nawet od Tomasza.

I zdecydowanie tańsza, ale przyjmuje tylko u siebie w domu.

Elżbieta, Daria, Tomasz, Marian... Cóż, Szarlota nigdy nie znosiła zdrobnień. Nawet w najbardziej intymnych chwilach nazywała go wyłącznie pełnym imieniem. Dionizy uważał, że to niewielka strata.

– A taksówek jak zwykle nie ma – ciągnęła znużonym głosem. – Zawsze się chowają, kiedy ich potrzebujemy.

– Daleko mieszka? – Starał się, by w jego głosie nie było podejrzliwości.

– Och, tylko kilka przystanków, koło Filharmonii.

– To podjedziemy razem, muszę kupić bilety w Mikro. Obiecałem Lansowi już parę dni temu – wyjaśnił, zdziwiony, że tak łatwo przyszło mu znalezienie wymówki. Czy jej również? – O, ósemka, świetnie, zaraz się zabierzemy.

Drgnęła, niemal niedostrzegalnie, jakby coś nagle ją spłoszyło. Zaraz jednak odzyskała samokontrolę i otwierając torbę, oznajmiła Fiotroniowi, że poczeka na szóstkę.

– Przypomniałam sobie, że muszę zadzwonić, a w tramwaju to jednak zbyt krępujące.

– Przecież tak się śpieszyłaś – bąknął.

– No właśnie, straszny młyn i dlatego zapomniałam zadzwonić. Ale zaraz to nadrobię. A ty jedź, mój drogi. Zobaczymy się wieczorem – odparła, sięgając po swój szmaragdowy telefon.

Chciał zostać i zapytać, co się naprawdę stało, ale zabrakło mu odwagi. Nie, w żadnym razie nie jest gotowy na konfrontację.

Zresztą powierzył sprawę Brzytwie, nie będzie działać na własną rękę. Skoro już o Brzytwie mowa, zerknął na zegarek, powinna tu być dwie minuty temu. Wiedział, rzecz jasna, że w Krakowie obowiązują nieco inne normy niż w jego MIEŚCIE. Kwadrans akademicki i takie tam bzdury. Musi czekać, choć nie jest to przyjemne. Nerwowy spacer w tę i we w tę. Jeszcze ktoś go weźmie za dewianta. Na przykład facet w skórzanym płaszczu skryty za potężnym kasztanem. Wygląda na agenta biorącego udział w tajnej obławie na parkowych pedofilów. Jak dobrze, że o tej porze nie ma tu dzieci, z ulgą przyznał Fiotroń, dla pewności rozglądając się na boki. By rozproszyć ewentualne podejrzenia agenta, lekko się uśmiechnął. Agent natychmiast rozsunął poły płaszcza, obnażając smętnego penisa.

– Co pan robi!? – zdenerwował się Fiotroń.

– No co? No co? Stoję już od dwóch godzin i żadnej kobiety. Więc pomyślałem: z braku laku... Ot, chwilowa zmiana orientacji.

– Pan jest chory! I nienormalny!

– Wspaniale! – agent aż podskoczył z radości. Jego penis również. – A teraz proszę poudawać, że go przestraszyłem!

– Oczywiście że mnie pan wystraszył! Niemal na śmierć!

– Cudownie! Proszę mówić dalej! – Energicznie zabrał się do roboty, by wykorzystać swoje trzy minuty szczęścia.

– To obrzydliwe!

– Obrzydliwe, tak! Ale i straszne! Sam pan przyznał, że bardzo się przeraził.

– Wzywam straż – ostrzegł Fiotroń, sięgając do firmowej aktówki.

– Dajże mu spokój.

Usłyszał nagle, tuż za swoimi plecami. Brzytwa. Co za ulga.

– Cześć Mareczek, miło cię widzieć po tylu latach. Jak tam doktorat? Obroniony?

– No to po robocie – oznajmił Mareczek, natychmiast wiotczejąc. – A miało być tak pięknie. I z takim partnerem! Brakowało dosłownie kilku sekund!

– Proszę mnie nie doprowadzać do ostateczności! – wybuchł Fiotroń. – A z pani też niezłe ziółko! Nie dość, że się haniebnie spóźnia, to jeszcze wymyśla tak niebezpieczne miejsca.

– Chciałam, żebyś miał intymną atmosferę.

– Jestem dozgonnie wdzięczny! – warknął, maszerując w stronę bramy. Dziarsko ruszyła za nim, zupełnie nie przejęta Fiotroniowym wybuchem.

– Słuchaj, w sumie to pikuś. On zepsuł ci poranek, ty jemu również. Ale da się z tym żyć.

– Spróbuję – prychnął z ironią. – I co to w ogóle za znajomy, ten cały Mareczek!?

Wcale nie chciał wiedzieć, raczej wyraził swoją dezaprobatę. Dezaprobatę, oburzenie, a nawet wstręt. Brzytwa jednak zrozumiała „niepytanie" całkiem opacznie.

– Kumpel ze studiów, miał najwyższą średnią w mojej grupie. Od razu zaproponowali mu asystenturę, a teraz...

– Powinien się leczyć.

– Myśliwi z zapałem polujący na sarny również. Tyle że on, w przeciwieństwie do myśliwych ma świadomość swojej choroby – odparła spokojnie, niezgrabnymi ruchami upinając niesforne kosmyki. – Tak się do ciebie śpieszyłam, że mi kok nie wyszedł. Ale sytuacja już opanowana, więc zajmijmy się twoją sprawą, o ile nadal masz ochotę. – Frywolnie mrugnęła.

Mógłby teraz z godnością odwrócić się na pięcie i mieć to z głowy. Raz na zawsze. Ale skoro zainwestował w odnalezienie Brzytwy tyle czasu i energii. Owszem, ma świadomość, że właśnie uległ zasadzie zaangażowania (im więcej wkładam, tym trudniej się wycofać), ale nie zdzierżyłby takiego marnotrawstwa. Da Brzytwie jeszcze jedną szansę, a jeśli znowu tak go zawiedzie... wtedy pomyśli.

– Nadal jestem zainteresowany, choć to wszystko – rozłożył z pretensją dłonie – zupełnie mi się nie podoba. Ta cała zabawa w podchody. Jakby nie można było zadzwonić.

– Nie można, nie mam komórki. Ani biura – uprzedziła następne pytanie. – Tylko duży, zapuszczony pokój w starej kamienicy.

– Zupełnie pani nie dba o klientów.

– Ależ dbam, o ile udowodnią, że chcą nimi zostać.

Nie w ten sposób buduje się wizerunek, chciał ją pouczyć, ale czuł, że nie warto. Nie jest jej wykładowcą ani szefem. Zresztą musiał przyznać, obrzucając wzrokiem ul piętrzący się na czubku jej głowy, wizerunek Brzytwy jest uszyty na miarę. Na jej miarę, niestety.

– Kto stał na bramce kontrolnej? – zapytała, lekko trącając go łokciem.

– Na bramce? – Chwilę się zastanawiał, zanim pojął, że chodzi o selekcjonerów. Selekcjonerów albo informatorów, jak kto woli. – Dziwne towarzystwo. Najpierw jakaś opryskliwa kobieta z targowiska pod Halą.

– Kaprysiakowa, ma nieustające problemy małżeńskie. Wyjątkowo źle trafiła, po raz czwarty.

Miał zaproponować, żeby się rozwiodła, po raz czwarty. Ale nagle nie bez lęku pomyślał o sobie. Co będzie z jego małżeństwem, kiedy już zdobędzie pewność? Jak podzielić to, co nagromadzili przez ostatnią dekadę? Mieszkanie można sprzedać albo wynająć. Ubrania wymienić na nowe, żeby się nie kojarzyły, zdjęcia podrzeć na pół, talerze potłuc. Ale co ze wspomnieniami?

– Najwyraźniej fatalnie, zważywszy jej stosunek do klientów – burknął. – W moich stronach to nie do pomyślenia.

W jego stronach, w cywilizowanej części świata klient ma zawsze rację. Nawet jeśli kupuje tylko groszek konserwowy, pod warunkiem, że groszkowi towarzyszą: nowe buty, firmowe skarpetki, świeży manikiur, schludne ubranie, porządna aktówka, cywilizowane słownictwo i elegancki uśmiech. Brak obrączki mile widziany.

– No a potem ta dziwna... – w porę ugryzł się w język. Nikt nie lubi, gdy nieznajomy krytykuje jego krewnych, nawet jeśli noszą wulgarne wąsiska. – Ta niedorzeczna sytuacja z czekaniem na bus do Myślenic.

– Więc poznałeś moją chrzestną? To i tak krótsza droga niż przez barmanów w Coco. Lubią się podrażnić i dodają od siebie kilka fikuśnych zadań. Sporo ci się upiekło – oznajmiła, ale Fiotroniowi wcale nie ulżyło.

– Nie można by tego uprościć?

– Pewnie cię to zdziwi, ale każdy zainteresowany ma indywidualną ścieżkę dostępu.

– A od kogo niby to zależy? Nie od pani? – Tylko się uśmiechnęła. – Zatem od kogo?

– Sam wiesz najlepiej.

– Ja? – Przystanął zdumiony. – Niby dlaczego?

– No, kolego pokombinuj troszeczkę.

Debeściak, zrozumiał nagle. To on przekazał mu kartkę z rysopisem baby od zielebców. A przecież mógł od razu podać numer telefonu chrzestnego. Mógł skrócić cały ten idiotyczny tor przeszkód, a jednak nie oszczędził kumplowi niczego. Chciał, by ten doświadczył podobnych upokorzeń, niczym staruszkowie zazdroszczący młodym ich rzekomo lepszego życia. A może jednak skrócił, kto wie? Może jego droga przez mękę wyglądała całkiem inaczej niż tor przeszkód Debeściaka? Niestety raczej się tego nie dowie, bo przy każdej próbie rozmowy Lans natychmiast zmieniał temat i przywdziawszy maskę szefa, z marsową miną przypominał Dionizemu o zaległych raportach.

– Za bardzo to wszystko przekombinowane, cały ten dziwny system. Ale skoro już dałem się wciągnąć – westchnął – miejmy nadzieję, że okaże się pani skuteczna.

– Kolega ci nie mówił? Bo ja sama – zrobiła minę pensjonarki – nie lubię się przechwalać.

– Skoro już się zdecydowałem, chciałbym poznać wysokość wynagrodzenia.

– Słusznie, miejmy to już za sobą. – Usiadła na ławce, robiąc mu miejsce obok siebie. – Zwykle stosuję metodę trzech kroków. Zacznę od końca. Jeśli ktoś z bliskich ci osób, na przykład przyjaciel, znajdzie się w kropce, przekażesz mu rysopis Kaprysiakowej. Albo namiary na ciotkę Helę, albo na chrzestnego, albo podasz adres Coco, wybór należy do ciebie.

– A krok drugi?

– Wrzucisz co łaska do puszeczki na wykup koni rzeźnych z transportów. Jedna znajduje się w barze, gdzie cię reanimowałam.

– Naprawdę co łaska? Nawet dwa złote? – zażartował i poczuł, że się czerwieni. – A ile mam zapłacić pani? – zapytał natychmiast, wyjmując swój wypchany kartami portfel. Niech Brzytwa widzi, że on, Fiotroń jest gotowy do sporych, oczywiście w granicach rozsądku, finansowych poświęceń.

– Podarujesz mi jeden tydzień.

– Gdzie? – Miał nadzieję, że nie zabrzmiało zbyt małostkowo, więc dodał zaraz. – W Europie czy woli pani raczej Daleki Wschód?

– Chyba się nie zrozumieliśmy. Nie chodzi mi o żadne *last minute* do Tajlandii, ale o tydzień z twojego życia. Tu i teraz.

– Tak po prostu? Cały tydzień? – Skinęła głową, narażając kok na ponowną rozsypkę. – A co mielibyśmy razem robić?

– Wszystko, mój drogi. – Posłała mu łobuzerski uśmiech. – Oczywiście poza seksem; wystarczają mi dotychczasowe doznania.

– Wszystko, czyli?

– Gotowanie, zakupy, spacery, wypady za miasto. Wspólne życie upchane w jednym niezwykłym tygodniu! – podsumowała takim tonem, jakby wygrali na loterii ekskluzywną wycieczkę do Wenecji.

– A praca? Powinienem wziąć urlop?

– Chyba że wolisz zabierać mnie ze sobą w aktówce.

Poczuł, jak pulsuje mu w skroniach. Zabrać do firmy kobietę, która nie potrafi nawet przyzwoicie usiąść? Kobietę z dłońmi szympansicy bonobo, z blizną na czole i wielkim ulem zsuwającym się co rusz z czubka głowy? Wystarczająco ryzykuje, pokazując się z kimś takim w przestrzeni publicznej.

– Urlop – zdecydował szybko.

– Wiedziałam.

Fiotroń poczuł się nieswojo. Jakby czytała w jego myślach. Może powinien jej wyjaśnić, że nie chodzi już o to, że ma, powiedzmy zbyt ciasną aktówkę. Przy tylu obowiązkach i zajęciach nie byłby w stanie kontrolować postępów w śledztwie (cóż za paskudne słowo). Nie, postanowił nagle, nie będzie się z niczego tłumaczył. Niech Brzytwa myśli sobie, co chce, byle rozwiązała tę sprawę w jeden tydzień. Jak to ona powiedziała? Tydzień wspólnego życia. Przecież są dla siebie nieznajomymi ludźmi.

– No właśnie, a skoro mam rozwikłać tę sprawę, musimy lepiej się poznać. Ja ciebie, ty mnie.

– Ja panią, niby dlaczego? – zdumiał się Fiotroń. – Profesjonalni detektywi nigdy się nie odsłaniają. Można by rzec, że do końca sprawy pozostają transparentni.

– Ależ, mój drogi, trafiłeś na kompletną amatorkę! Profesjonalizm zupełnie mnie nie interesuje. I co ty na to? Wchodzisz?

Niechętnie, ale skoro już się zadeklarował.

– Więc dobrze, widzimy się jutro, tu gdzie teraz.

– Żadnych parków!

– Przecież to Rynek Podgórski, rzućże okiem. Zatem jutro, w samo południe, ławka pod drzewem. A do tej pory zastanów się, z kim twoja żona mogłaby mieć romans i... – Zrobiła minę znudzonej matki, która usiłuje znaleźć zajęcie zbyt absorbującemu malcowi. – Co zyskujesz, udowadniając jej zdradę.

*

Co zyskuje? Dobre sobie! Wyłącznie gorzką satysfakcję z potwierdzenia własnych podejrzeń. Za to straci niemal wszystko, co z takim trudem budował przez ostatnie lata.

– A jednak tak się starałeś, żeby mnie odnaleźć.

– Bo nie chcę już brać udziału w grze pozorów – wypalił z irytacją i natychmiast umilkł, skonsternowany.

Oj, chyba się zagalopował. Szarlota stosowała wprawdzie niedopowiedzenia, ale żeby od razu atakować ją w ten sposób. I to przed obcą kobietą. Ale najgorsze, co mógłby teraz zrobić, to się wycofać albo tłumaczyć, że miał na myśli coś zupełnie innego. Znacznie bezpieczniej, jeśli po prostu zmieni temat.

– Jakie mamy plany na dziś?

– Ach, na dziś – ocknęła się Brzytwa, najwyraźniej wyrwana z głębokich rozważań. – Najpierw odwiedzimy mojego chrzestnego na Dąbiu. Mam mu podrzucić kilka książek, a przy okazji pokażę ci coś, co działa na wyobraźnię. Wierz mi, robi spore wrażenie.

– Mam nadzieję, że to nic przykrego – nieśmiało podpytywał Fiotroń.

– Zależy jak patrzeć.

– A jak powinienem?

– Bardzo uważnie. Przyjrzyj się każdej ścianie, każdemu detalowi. Na pewno nie pożałujesz – obiecała, zmieniając temat. – Wspomniałam wujowi o ósemce. Dobrze pamiętam: tramwaj numer osiem? – Przytaknął. – Chrzestny ma niezłą bazę danych, które nazywamy latarkami. Może nam ten szczegół doświetli.

– Nie sądziłem, że potraktuje pani sprawę tramwaju tak dosłownie. Przecież Szarlota mogła dostrzec kogoś na Plantach. Na przykład kochanka, z którym chciała się spotkać.

– Nie bacząc na męża stojącego u jej boku? Zauważa swego amoroso i natychmiast znajduje pretekst, by się wyślizgać z małżeńskiej przejażdżki tramwajem? Upycha starego wraz z porożem w ósemce, czeka, aż odjadą i z wypiekami na twarzy frunie w stronę bujnych kasztanów, by razem z ukochanym zbudować kilka kolorowych zamków na lodzie. Cudna historia, ale nie popycha sprawy do przodu. Więc zamiast mnożyć teorie, skupmy się na konkretach. Wiesz, skąd pseudonim Brzytwa? – zapytała, widząc jego urażoną minę. – Od brzytwy Ockhama. Żadnych zbędnych hipotez.

– A ja sądziłem, że od języka. I bezkompromisowych rozwiązań – mruknął.

Nie dała się sprowokować, może dlatego, że właśnie wjechali na osiedle jej chrzestnego i zajęła się pilotowaniem.

– To ten biszkoptowy blok, druga klatka. Ale stań trochę dalej – poradziła Brzytwa. – Miejsce naprzeciw wyjścia zostało zaanektowane przez Kaprysiaka. Jego żonę już poznałeś.

– Niestety.

– Kaprysiakowa przy nim to kraina łagodności – podjęła znowu, kiedy już zaparkował w bezpiecznej odległości. – Facet od skończenia przedszkola cierpi na kurwicę wszechpolską. Wystarczy byle powód i dostaje piany. Mógłby sobie dorabiać jako żywa gaśnica. Ale nie chce. Woli wylewać ją na auta, które zajmują miejsce jego taurusa. Karoseria do wymiany.

Moja też będzie i to bez pomocy Kaprysiaka, pomyślał Fiotroń, patrząc, jak Brzytwa zatrzaskuje drzwiczki mondeo. Czy ona nie ma czucia w dłoniach?

– O, dzień dobry, pani Krochmalowa! – Brzytwa pozdrowiła zjawisko oblepiające pobliską ławkę.

Fiotroń też skinął głową, zdumiony obfitością pani Krochmalowej. Wyglądało to tak, jakby ktoś ugotował sagan gęstego budyniu poziomkowego, a potem wylał go przez okno wprost na ławkę, ozdobił (czy to aby właściwe słowo?) kwiecistą princeską i na koniec wcisnął dwie borówki, zamiast oczu.

– Absztyfikant? – dopytywała się Krochmalowa, wachlując się wymiętą „Panią Domu".

– Klient.

– Oj, Paula, kiedy ty się ustatkujesz? Ja w twoim wieku szykowałam córkę do bierzmowania.

– Karolę, Justynę czy Edzię?

– Musiałabym zerknąć do dowodu – westchnęła Krochmalowa, a Fiotroń zrozumiał, że nie będzie to takie łatwe. Ktoś najpierw musiałby zejść z saganem, zebrać szuflą cały budyń do środka i wtaskać na trzecie piętro.

– Karola idzie jutro na Marsz Tolerancji? – Brzytwa taktownie zmieniła temat.

– Narzyczony Krystian jej nakazał. Ślub już za trzy miesiące, więc...

– No to się zobaczymy. Proszę ją pozdrowić ode mnie!

Znikli w czeluściach klatki. Brzytwa pokonywała po trzy stopnie naraz. Skacze jak kangur antylopi, pomyślał Fiotroń, wlokąc się za nią z siatką pełną książek. Nawet nie poprosiła, żeby je zaniósł na górę. Sam się domyślił, że ma opróżnić bagażnik. A może o nich zapomniała? Bardzo możliwe. Ciągle coś gubi albo zostawia przypadkiem, wczoraj sweter, dziś rano prze-ciwsłoneczne okulary. Tylko patrzeć, jak zgubi samą siebie, mruczał Fiotroń, podenerwowany spotkaniem z chrzestnym. Miejmy nadzieję, że wszystko odbędzie się w sposób cywilizowany. A jeśli nie? Dla pewności stanął nieco dalej, ukryty za łuszczącą się balustradą. Brzytwa energicznie zadzwoniła, potem jeszcze raz i na koniec trzy razy zapukała. Chrzestny natychmiast ot-worzył.

– Wejdźcie, wejdźcie. – Zrobił szybki zapraszający gest dłonią, ostrożnie wyjrzawszy przez próg. – Gry-czańska znowu podsłuchuje – oznajmił szeptem, kiedy już wkroczyli do pachnącego jabłkami przedpokoju.

– Stara miłość nie rdzewieje – skwitowała Brzytwa, a widząc minę Fiotronia pośpieszyła z wyjaśnieniem. – Po stanie wojennym Gryczańska donosiła, na kogo się dało. Dzięki temu otrzymała posadę sekretarki u same-go wicedyrektora Hałaja.

– Mimo marnego wykształcenia i nieciekawej apa-rycji – dodał chrzestny, opierając się o wyłożoną boa-zerią ścianę. – Siedem klas szkoły powszechnej, rażąca ortografia, lęk przed maszyną do pisania, nieznajo-mość słów „proszę" i „przepraszam". A do tego, proszę pana, czterdzieści kilogramów ekstra upchane pod żół-tą bluzką z krempliny. A jednak spodobała się Hałajowi na tyle, że przydzielił jej osobny pokój. I pomoc do prac biurowych, panią Jasię po zaocznej administracji.

– Musiała być bardzo skuteczna – wtrącił Fiotroń.

– Niemal każdy w zakładzie miał założoną teczkę.

– Zastanawiam się, cóż za informacje może zdobyć osoba jej kalibru.

–– Najróżniejsze. Kto codziennie wcina bułkę z peweksowską szynką, kto przyjął święty Obraz Maryi i nosi pod swetrem krzyżyk od Pierwszej Komunii, kto wieczorami słucha Wolnej Europy i rozpowiada dowcipy o władzy ludowej. Kto ma ciotkę w Ameryce albo wuja w Londynie. Warto wiedzieć takie rzeczy, żeby w porę przykręcić śrubkę. Kolawa z hali siódmej burczy na niskie premie? Strajkować mu się zachciewa? Teczka na stół, lista grzechów wyczytana i głowa z głupot wywietrzona. Koniec fajrantu, wracamy do pracy!

– Ludzie nie wiedzieli, że to ona donosi?

– Aż do osiemdziesiątego siódmego nikt się nie domyślił, proszę pana, nawet jej małżonek, obecnie nieboszczyk. Wreszcie pani Jasi puściły nerwy i tuż przed ucieczką do Berlina chlapnęła w tajemnicy koleżankom z działu przyjęć. Więc się ludzie pilnowali, nawet śniadania przy niej nie jedli. Ale to nic, proszę pana, nie pomogło, bo Gryczańska zaczęła fantazjować. Tu strzęp zdania wychwyciła, tam trzy słowa i obrazek gotowy. Pokolorowany byle jak, bez właściwej perspektywy, ale władzom to nie przeszkadzało. Wręcz przeciwnie. Zadowoleni z efektów zwiększyli pulę nagród. Wczasy w Rumunii, meblościanka na wysoki połysk i talon na poloneza.

– A po kwiecistym donosie na wuja przydzielono jej mieszkanie, w tej samej klatce.

– Dowcip ówczesnej władzy: umieścić kata obok ofiary – zarżał chrzestny krótkim nerwowym śmiechem. – Socjalizm padł i dopiero się zaczęło. Cyrkowisko, proszę pana. Bo nazywać ten bajzel cyrkiem, to za mało. Otóż, kiedy tylko rozeszły się słuchy, że będą odtajniać teczki, Gryczańska pobiegła do nowych władz. Nie czekała, proszę pana, aż odkryją jej udział, tylko pierwsza na wizytę i z kraciastą chustką przy oku zawodzi, że ją do wszystkiego zmuszono. Bo jak tylko podjęła pracę, tłumaczy, dyrektor Hałaj zgarnął ją do swego gabinetu, obejrzał dokładnie i natychmiast kawa na ławę. A po kawie padła propozycja. Albo będzie kochanką, albo informatorką zaufaną. Wybrała mniejsze zło, ocalając własną niewinność. A więc żaden donosiciel, tylko ofiara systemu.

– I uwierzyli?

– Uwierzyli. Ale to jeszcze nie koniec, proszę pana. Nagle Gryczańska, pociągając nosem, oświadczyła, że w osiemdziesiątym siódmym zdecydowała się przejść do opozycji, na właściwą stronę. Nie jawnie, bo wiadomo, kobieta do takiego wojowania nie stworzona. Ale po cichu, owszem, walczyła z systemem, pisząc nieprawdziwe donosy. Tym samym osłaniała prawdziwych działaczy.

– Co na to władze?

– Pełny dylemat, proszę pana. Wreszcie znalazł się jeden rozsądny, wtedy inżynier, a po redukcjach emeryt i sąsiad z naprzeciwka. Od niego znam całą tę historię – napomknął chrzestny. – Więc ten inżynier chwilę się poskrobał po czole i mówi, że ma pytanie. Co z niewinnie oczernionymi? Gryczańska zaraz odszczeknęła, że prawdziwa cnota zawsze się wybroni. Na to inżynier: słusznie, słusznie, właśnie widzimy tę bohaterską obronę. Ale jest inny problem. Skoro pani podawała nieprawdziwe dane, to nagrody i premie zostały przyjęte nielegalnie. Musiałam zadbać o pozory, wyjąkała Gryczańska. Ale teraz już nie trzeba udawać. Można śmiało oddać wszystkie te śmierdzące dowody nieuzasadnionej wdzięczności. Byłby to piękny gest, który chętnie nagrodzimy brązowym medalem. Gryczańską, proszę pana, jakby poraził piorun kulisty. Blada oparła się o ścianę i dopiero, jak jej przynieśli szklankę wody, wyszeptała, że nie przyszła tu po medale, ale dla prawdy. Żeby zacząć nowy etap z czystym kontem. Ostatecznie zostawili jej mieszkanie. Uznano, że byłoby więcej tarabanu z przeprowadzkami niż to warte. O, i tak, proszę pana, męczymy się pod jednym dachem dwudziesty rok.

– Ale „dzień dobry" sobie mówicie.

– Grzeczność to podstawa. No dobrze. – Chrzestny wytarł dłonie w kuchenny ręczniczek. – Pokaż, co tam pysznego wyłowiłaś. Wielembowska; już wgrałem na przedwiośniu. Rybakow, zobaczymy, *Ciężki piasek* miał jednak sporo zakalca. *Eliza, życie prawdziwe* – pychota jak ciepły chleb z masłem. Kolejny Szukszyn – zamyślił się przez chwilę – *Nocne dumania* to dopiero była książka.

– Niestety zostawiłam u klienta – zmartwiła go Brzytwa.

– Szkoda, takie opowiadania. Palce lizać! Pan próbował?

– Ma w biblioteczce prawie same nowości – odparła za Fiotronia Brzytwa.

– Ach, gorące bułeczki – uśmiechnął się chrzestny.

– Staram się być na bieżąco – zabrzmiało to trochę, jakby się tłumaczył.

– Ja również. Wydaje mi się nawet, że owe nowości przeczytałem, zanim dotarły do...

– Ale Dionizy nie pochłania trzech książek dziennie – przerwała Brzytwa.

– Trzech? – wykrzyknął Fiotroń. – Jak to możliwe???

– Kwestia wprawy i odpowiedniej motywacji – wyjaśnił chrzestny, poprawiając tak zwaną zaczeskę. – Gdyby nie dzwoniące bez przerwy telefony, wcisnąłbym jeszcze czwartą.

– Wujek tworzy swoiste archiwum. Można to nazwać żywą biblioteką.

Biblioteka, która przetrwa co najwyżej ćwierć wieku, podsumował ze smutkiem Dionizy. Czy warto in-

westować cenny czas w równie beznadziejne przedsię-
wzięcie? Zaraz jednak pomyślał o kolegach wytrwale
pompujących mięśnie w firmowej siłowni. Czy pamię-
tają, że najdalej za pięćdziesiąt lat materace ich pro-
dukcji zmienią się w McDonald's dla czerwi?

– Zgromadził już osiemnaście tysięcy woluminów –
ciągnęła Brzytwa.

– Lepiej powiedz, o co chodzi z tą ósemką – wtrącił
chrzestny, cały w buraczkach. – Po to chyba przypro-
wadziłaś znajomego?

Brzytwa streściła incydent z tramwajem. Chrzestny
wysłuchał uważnie, nie przerywając ani razu.

– Dziwne – mruknął wreszcie, froterując końcami
palców kremową łysinę. – Czy pańska żona miała tu
krewnych?

– Dziadków po mieczu, ale opuścili Kraków jeszcze
w czasie wojny. Potem, w czterdziestym szóstym przenieśli się na ziemie odzyskane.

– Czemu wyjechali z Krakowa?

– Cioteczna babcia mojej żony zginęła w dziwnych
okolicznościach, na torowisku. Podobno był to wypadek, ale obawiano się dalszych nieszczęść. Jak wiadomo, te chadzają parami. Ustalono więc, że wszyscy
przeniosą się na wieś, dla bezpieczeństwa.

– Czy babcia żony działała w podziemiu?

– Gdyby miała podobne zasługi, rodzina wystawiła-
by jej złocony pomnik. Tymczasem... – Fiotroń zawahał
się, w skupieniu mrużąc oczy – odniosłem wrażenie,

jakby jej śmierć była wszystkim na rękę. Wspominano ją niechętnie i z pewnym zakłopotaniem.

– A żona?

– Raz tylko rzuciła zirytowana, że babcia szukała guza, lekceważąc obowiązujące zasady. I że, niestety, za jej wyskok zapłacili najbliżsi, ale to wszystko, co pamiętam.

– Wystarczy – oznajmił chrzestny, z zadowoleniem zacierając chude dłonie. – Chyba wiem, o co poszło. O tramwaj.

– O tramwaj? – powtórzył Fiotroń, odrobinę rozczarowany. Nie, żeby był szczególnie romantyczny, ale wersja z kochankiem ukrywającym się za młodym listowiem dzikiego bzu budziła więcej emocji.

– Podczas wojny krakowską ósemkę zarezerwowano wyłącznie dla Niemców. Cóż to były za tramwaje! – Chrzestny aż cmoknął z zachwytu. – Zadbane. Czyściuteńkie. I niemal puste, bo rasa panów wybierała na ogół auta, oczywiście zarekwirowane Polakom.

– Autobusy też nam zabrano – pochwalił się swoją wiedzą Fiotroń. Czytał o tym na Onecie, w notce upamiętniającej zasługi Schindlera.

– Więc łatwo sobie wyobrazić, jaki tłok panował w naszych tramwajach – podjął chrzestny. – Ludzie jeździli na zewnętrznych stopniach, uczepieni, czego tylko się dało, jak dzikie wino. Czasem trafiał się odważny, który udając Niemca, wsiadał do puściutkiej ósemki.

– Sprytnie – skomplementował Fiotroń.

– Spryt nie ma z tym nic wspólnego. Ryzykować życiem dla paru minut względnego komfortu? – Chrzestny pokręcił głową. – Stawiałbym raczej na młodzieńczą brawurę. Ta nigdy się nie liczy z kosztami, nawet jeśli są wyśrubowane do granic wojennego absurdu.

– Co groziło ryzykantowi za udawanie Niemca?

– Na ogół kopniak i wyzwiska. Czasem wypchnięcie z pojazdu, ale zdarzała się kulka. Najwyraźniej cioteczna babcia pana żony miała ogromnego pecha.

*

– I jak wnętrza? Zlustrowane? – dopytywała się Brzytwa, kiedy opuścili mieszkanie chrzestnego.

– Starałem się wyłapać ciekawsze gadżety, ale...

Prawdę powiedziawszy nie miał na czym zawiesić oka. W przedpokoju ściemniała boazeria. W salonie ogromna gierkowska meblościanka wypełniona starymi książkami. Ściana, niegdyś kanarkowa, dziś w kolorze przygaszonej musztardy, obwieszona niemodnymi już ozdobami. Na lakierowanej ławie przykurzony cepeliowski kilim. Dookoła ławy komplet wypoczynkowy. Ogromna bordowa, narożna kanapa i dwa zapadnięte fotele. Jego matka pozbyła się lepszych mebli dziesięć lat temu. Żyrandol z tandetnych kryształków mógłby od biedy zdobić wnętrze oldskulowego pubu. I wresz-

cie turecki dywan. Kiedyś pysznił się pięknie przystrzy-
żonym włosem, dzisiaj łysy niczym jego właściciel. Takie mieszkania określane są w agencjach jako „lokale
do generalnego remontu".

— Nic mi się nie rzuciło w oczy — przyznał wreszcie,
zrezygnowany.

— A ogólne wrażenie?

— No cóż. Mieszkanie jak mieszkanie.

— Czemu nie powiesz wprost: zapuszczone, niemod-
ne, w złym guście? Przecież tak właśnie je oceniasz.

— Bez przesady.

— Darujmy sobie subtelności. Oboje wiemy, jak wygląda nora mojego wuja: bardziej przygnębiająco niż
pomniki poprzedniej epoki. A jednak niecałe trzydzieści lat temu było to najmodniejsze wnętrze na całym
osiedlu. Po meble chrzestny jeździł aż do Kalwarii. Na
żyrandol wydał trzy pensje plus trzynastkę. Dywan
przypłacił kontuzją kręgosłupa. Żeby załatwić boaze-
rię, brał nadgodziny, rozwalając swoje małżeństwo do
szczętu. Ledwie obeschł lakier na deskach, ciocia zwi-
nęła manatki.

— Uważa pani, że byliby szczęśliwi sypiając na sło-
mie?

— Nie mam pojęcia. Ale dbając wyłącznie o meble,
wujek przegapił to co najważniejsze: samo życie. Dlatego kazałam ci się przyjrzeć.

— Nie rozumiem aluzji — bąknął urażony.

– Widocznie ty żyjesz pełną parą, nie przegapiając niczego – wypaliła. Już miał powiedzieć jej do słuchu, kiedy zmieniła temat. – Ale z ósemką to chrzestny miał niezłego nosa, co? Od razu wyczuł, o co biega.

– Wiemy już, że to ślepy trop.

– Niekoniecznie. Jest w tej historii pewien potencjał.

– Na przykład? – Fiotroń się ożywił.

– Dam ci znać, kiedy sobie wszystko poukładam. A na razie nurtuje mnie pytanie, które z was nalegało na przyjazd do Krakowa? Ty czy żona?

– Debeściak – odparł natychmiast, uśmiechając się z przekąsem na wspomnienie propozycji nie do odrzucenia.

Lans dostał fotel szefa oddziału na całą Małopolskę. Po tygodniu euforii z powodu wielkości biurka, już marudził, że tęskni, godzinami wisząc na telefonie. Help! Tu samotny, zagubiony na szczycie! Bądźcie człowiekiem, Dionizy, uratujcie kolegę, zanim ten oszaleje.

– Możemy wpaść na weekend – zaproponował Fiotroń, z rezerwą w głosie.

– Weekend? Mam lepsze rozwiązanie, stary. Naprzeciwko mojej samotni czeka całkiem wygodny gabinecik z ogromnym fotelem. Mógłbym cię zainstalować jako kluczowego doradcę do spraw szkoleń.

Będzie trochę kombinowania, ale dam radę. Dobry kit to połowa sukcesu. Ta większa – zacytował dewizę, dzięki której odnosił sukcesy już w liceum. – To kiedy do mnie dołączysz?

Fiotroń próbował tłumaczyć, że ma już pracę. Na uczelni.

– *Pół etatu jako asystent* – zgasił go kumpel. – *Oraz parę mglistych obietnic dotyczących przyszłej dekady.*

– *Moja specjalizacja jest bardzo obłożona* – bronił się Fiotroń. – *Ale kiedy zrobię habilitację...*

– *Nastąpi cud, oczywiście! Na razie jednak brak ci czasu, bo zapychasz ze szkoleniami po całej Polsce.*

– *Mamy wydatki. Owszem, wysokie...* – Oboje z Szarlotą przywykli przecież do pewnych standardów. *Poza tym nie może wisieć na pensji żony.*

– *U mnie zarabiałbyś co najmniej tyle samo, nie ruszając dupy z fotela, chyba że na koniaczek z Lansem. To jak?*

Fiotroń bąknął, że musi skonsultować się z żoną.

– *Już gadaliśmy. Wczoraj rano* – zdradził Debeściak, siorbiąc zbyt gorącą kawę. – *Przyznała, że potrzebuje odmiany. Wydaje się straszliwie przygaszona.*

Trudno, żeby było inaczej, mruknął do siebie Fiotroń; zaledwie przed miesiącem straciła ojca. Nie był to wprawdzie człowiek, który, mówiąc oględnie, umiał *budować relacje z bliskimi. Pod tym względem przypominał raczej żółwia błotnego. Ale ojciec to zawsze ojciec, nawet jeśli przesypia życie ukryty pod twardą skorupą.*

Zmiana dobrze by jej zrobiła, przyznał Fiotroń, kątem oka obserwując żonę. Niby krząta się jak zawsze, ale jest w tym coś rozpaczliwego. Jakby, kurczowo trzymając się codziennych czynności, chciała odpędzić ból. A gdybyśmy tak zaryzykowali, pomyślał nagle. W końcu co nas tu trzyma? W tej samej chwili Szarlota przysiadła na fotelu obok i głosem schrypniętym od wielogodzinnego milczenia poprosiła, żeby rozważyli propozycję Lansa.

– *A twój gabinet kosmetyczny? – zapytał. – Przecież włożyłaś w jego rozwój tyle... – jakoś nie mógł użyć słowa „serce" – tyle energii.*

– *Owszem, włożyłam. Teraz pora, żeby dać się wykazać Darii. To rozsądna dziewczyna.*

Oczywiście. A ponadto pracowita, czysta, skrupulatna i uczciwa. Nikt inny nie mógłby zostać wspólniczką Szarloty. A jednak to właśnie jego żona trzymała nad wszystkim pieczę, powtarzając, że pańskie oko konia tuczy. Najwyraźniej uznała wreszcie, że oko wspólniczki też jest coś warte.

– Pod koniec października przenieśliśmy się do Krakowa. Zamieszkaliśmy w apartamencie służbowym, ale na krótko, bo Szarlota znalazła zaraz piękne, choć nieduże mieszkanie na Dębnikach, świeżo po remoncie. Święta spędziliśmy już na swoim – dokończył opowieść, otwierając pilotem swoje grafitowe mondeo.

– Szarlota znalazła piękne mieszkanie, Szarlota załatwiła kredyt, zatrudniła specjalistę od biblioteczki. Najwyraźniej nie lubi bezczynności.

– Żadne z nas nie lubi – poprawił Fiotroń, nieco urażony. – Wolimy spędzić życie...

– Rozpisując je na zadania?

– I owszem – odparł, z butą w głosie. – Ma pani coś przeciwko?

– Ależ skąd! Bardzo przydatna umiejętność, daje złudzenie kontroli.

Złudzenie? Raczej poczucie kontroli, dzięki któremu można sensownie spożytkować czas, zamiast trwonić go na bezładną miotaninę. Brzytwa powinna staranniej dobierać słowa. Już miał wyrazić swoją dezaprobatę, kiedy usłyszał piskliwe wołanie i towarzyszący mu rozpaczliwy stukot obcasów. Chwilę później z bocznej alejki wyłoniła się drobniutka brunetka, balansując na niebotycznych szpilkach. Fiotroń widywał takie (i dziewczyny, i szpilki) wyłącznie na amatorskich fotografiach erotycznych, podsyłanych mailem przez znudzonego Debeściaka, ale w zupełnie innej, jakby to ująć, pozycji. A tu proszę, okazuje się, że połączone ze sobą, służą nie tylko do dziurawienia atłasowej pościeli. Potrafią się przemieszczać i to po nawierzchni, której nikt nie nazwałby gładką.

– Cześć Karola! Trenujesz do wesela, jak widzę – Brzytwa wskazała brodą szpilki.

– Heja! No trenuję, trenuję, bo Krystian lubi wysokie – wyjaśniła Karola, przestępując z nogi na nogę. – A tak w ogóle dobrze, że cię widzę, bo widzisz... będą same jaja – zdradziła, obmacując nieufnym wzrokiem pobliskie balkony.

– A pomidory?

– Za drogie, poza sezonem. Kamieni też nie będzie, Krystian mi obiecał. Bo przecież za chwilę ślub i jakby go aresztowali... Siara na całe osiedle.

– Nie możecie ryzykować, w żadnym razie.

– Paula. – Karola umilkła, w zakłopotaniu pocierając otynkowane ziemią egipską czoło. – Bo ty pewnie jesteś zła, że tam idę.

– W sumie nie masz wyboru.

– Mam, bo... – Karola mocno zacisnęła powieki, jakby usiłowała sobie przypomnieć wkuty na blachę tekst nudnego wiersza. – Bo mnie te zboczeńce też wkurwiają. Coraz więcej pedałów naokoło, a potem nie można se znaleźć porządnego chłopaka. A o ładnym to już mowy nie ma.

– Na szczęście ty znalazłaś.

– Na szczęście? Dziewczyno! Ile ja się musiałam naharować! Ile dyskotek przeczesać, ile różnych... –

Zagryzła usta. – A wszystko przez to, że coraz mniej prawdziwych facetów, bo ich geje przeciągają na swoją stronę. Dlatego jutro idę protestować przeciwko tej całej promocji. „Chłopak dziewczyna, normalna rodzina" – wyrecytowała na koniec, z pewną ulgą.

– Ale w Prozacu całowałaś się z Doris.

– E, to tak, o – machnęła dłonią – żeby Krystiana podniecić.

– Strasznie wcześnie ma problemy z potencją – zmartwiła się Brzytwa. – Strach pomyśleć, co będzie kiedyś.

– Jakoś se poradzę. Byle do pierwszego dziecka – oznajmiła Karolcia, zgrabnie przeskakując na bardziej komfortowe poletko. – A pan razem z koleżanką?

– To tylko klient! – odkrzyknęła mama Budyniowa. – Ale ty już nie kombinuj!!!

– Ja tylko pytałam, czy idą razem na pochód – Karolcia szybko skłamała.

– Idziemy. Będziesz mogła nam pomachać zza transparentów – odparła Brzytwa, ładując się do Fiotroniowego auta. A potem zatrzasnęła drzwi z takim hukiem, że Fiotroń musiał, po prostu musiał zareagować. Jako człowiek cywilizowany postanowił nie robić scen przy osobach trzecich. Najpierw, z miłym uśmiechem pożegnał właścicielkę najwyższych szpilek na osiedlu Dąbie, potem wygodnie zasiadł za kierownicą, przekręcił kluczyk, policzył do dwudziestu i wziąwszy trzy głębokie oddechy poprosił:

– Czy mogłaby pani łagodniej zamykać drzwi? To bardzo drogie, całkiem... – nowe oraz eleganckie auto, które zasługuje na właściwe traktowanie, chciał wyjaśnić, ale Brzytwa przerwała mu w pół zdania, mówiąc, że się postara. A zaraz potem zapytała o „zadanie domowe". Czy odrobione.

– Długo nad tym myślałem – odezwał się Fiotroń, nadal poirytowany lekceważeniem, które spotkało jego wypasione mondeo z silnikiem diesla. – I niestety nikt konkretny nie przychodzi mi do głowy.

– Może szukałeś za daleko. Zagrożenie zwykle czyha tuż za progiem.

– Jakbym słyszał pani chrzestnego.

– Bo to jego teoria. Jak się zastanowić, nie pozbawiona sensu.

– Sugeruje pani, że Szarlota romansuje z moim najlepszym kolegą? – żachnął się Fiotroń. – To absurd!

Debeściak w roli wielbiciela jego żony! Bzdura jak mało która! Przecież to właśnie Lans, podpiwszy sobie tęgo, oznajmił, że Szarlota przypomina mu cumulonimbusy. Z odległości sprawia bardzo przyjemne wrażenie, orzekł, ale kiedy podejdziesz bliżej, widzisz miliony lodowych kryształków. Dotknięcie grozi martwicą tkanek.

– No i trzeba uważać na burze – mruknął, wyczołgując się do łazienki, gdzie po wyczerpującym pawiu zapadł w dwunastogodzinny sen. A może stracił przytomność, Fiotroń już nie pamięta.

I wydawało się, że Lans też wyrzucił wszystko z owej fatalnej nocy niepotrzebnych nikomu zwierzeń. A jednak, jakiś rok później nawiązał do cumulonimbusów.

– Przeszarżowałem, stary – rzucił, a kiedy Fiotroń usiłował zmienić temat, dodał nieco ciszej. – Tak to jest, jak się człowiek trzyma na odległość, ze strachu przed odmrożeniami. Na szczęście z tym skończyłem.

Ale czy to od razu oznacza intymne zbliżenia z jego żoną? Czy osoba równie wybredna mogłaby się skusić na małpiszona? Chyba w akcie desperacji!

– Moja żona jest zbyt wybredna – orzekł po chwili Fiotroń, zdenerwowany samym pomysłem, żeby tych dwoje, razem, w jego szmaragdowej sypialni. Niesmaczne jak odsmażany na wodzie kotlet wieprzowy.

– Kogo mogłaby wybrać, jak sądzisz?

– Nic nie sądzę – burknął.

– Skoro podejrzewasz żonę o romans, to raczej z kimś konkretnym, a nie z komiksowym Batmanem, prawda? – Umknął wzrokiem. – No więc zastanawiałeś się chyba, kim mógłby być twój rywal. Albo, kto wie, następca?

Owszem, przez jego głowę przemknęła taka myśl, ale natychmiast ją przepędził, przerażony.

– No to puść wodze wyobraźni teraz – naciskała Brzytwa.

– Wolę unikać takich eksperymentów – odparł zirytowany. – Puszczanie wodzy zawsze kończy się wypadkiem.

– Skoro aż tak się boisz...

– Nikogo się nie boję! Po prostu gdybanie nie ma sensu, bo rzeczywistość i tak przerasta nasze wyobrażenia! – uniósł się Fiotroń, zawstydzony tym niespodziewanym wybuchem.

– W sumie masz rację – przyznała Brzytwa. – Osoba rywala, jego wygląd czy stanowisko, nie ma tu najmniejszego znaczenia. Ale musiałam cię zapytać, żeby mieć jasność.

Zanim poprosił, by rozwinęła temat, wyznaczyła mu kolejne zadanie na jutro.

– Przygotuj czapkę z daszkiem, stary podkoszulek, kolorowe baloniki oraz parasol, do ochrony przed gradem jaj. Widzimy się pod Pocztą Główną, w samo południe.

*

– Zwarty i gotowy? Cel plac Matejki. – Wskazała dłonią. – Jak już będziemy na miejscu, dostaniesz śliczną flagę ze „Społem".

– Ze „Społem"?

– Też mają tęczowe, pasują jak ulał. Chrzestna mi pożyczyła; jak ją zwalniali, dostała w ramach odprawy cztery sztuki.

– Baloniki nie wystarczą?

– Właśnie, baloniki. – Wręczyła Fiotroniowi plastikowy woreczek. – Proszę bardzo, do wyboru, do koloru. Wiedziałam, że „zapomnisz".

Nawet nie próbował udawać niesłusznie skrzywdzonego. Istotnie zrobił unik. Miał świadomość, jaka to manifestacja i po krótkim namyśle, uznał, że jednak weźmie w niej udział. W końcu obiecał Brzytwie cały tydzień, bez względu na to, gdzie go spędzą i w jakich warunkach. Odmawiając, wyszedłby na tchórza albo, co gorsza, żałosnego użytkownika moherowych beretów. A przecież nawet jego rodzona matka przestała w nich gustować. Skoro ma wziąć udział w pochodzie, musi znaleźć jakieś wymierne korzyści. A zatem:

✓ Poczyni cenne obserwacje socjologiczne, to raz.

✓ Z pewnością zyska w oczach znajomych; otoczenie Fiotronia darzy Marsz Tolerancji rosnącą sympatią. I poparciem, oczywiście wirtualnym. Nikt tam na razie nie bywa (zbyt duże ryzyko, niewystarczające zainteresowanie kluczowych mediów), ale czyniono pewne plany. Za rok, góra dwa, kiedy Marsz stanie się naprawdę trendy, Fiotroń będzie mógł się pochwalić, że był pierwszy, przed wszystkimi. Co nie znaczy, że teraz ma się rzucać w oczy, stwierdził, odkładając baloniki na dno szuflady.

Niestety Brzytwa przyniosła dodatkowe, specjalnie dla „zapominalskiego". Świadomość, że przejrzano go na wylot, dręczyła Fiotronia bardziej niż strach przed wyzwiskami obrońców jedynie słusznej moralności. Usiłując strzepnąć z duszy nieprzyjemne kłaczki, skupił się na energicznym marszu.

– Ależ pędzisz – wydyszała Brzytwa, z trudem dotrzymując mu kroku. – A chciałam ci powiedzieć, że coś ruszyło w naszej sprawie.

– W mojej. – Fiotroń zaznaczył dystans.

– Zależy, jak patrzeć. Ale nie będę się spierać z mistrzem chodu sportowego. Jeszcze chwila i stracę cię z oczu.

Fiotroń niechętnie zwolnił.

– Od razu lepiej – odetchnęła, przycisnąwszy dłoń do prawego żebra. – Kolka.

– Co z tą moją – podkreślił – sprawą?

– Właśnie! – przypomniała sobie, rozmasowując bok. – Rozmawiałam dziś z babcią sąsiada. Mieszka tuż nade mną. Osiemdziesiąt siedem lat, a pamięć! Jak kryształ górski. Oczywiście tu i tam zdarzają się szczeliny – przyznała – które sąsiadka zalepia różowym kitem, fantazjując, zwykle na temat ostryg i kawioru.

– Ostryg?

– Podobno jada je na czwartkowych kolacjach u swojego spowiednika. Takie tam bajeczki – machnęła dłonią. – Ale jeśli chodzi o dawne czasy, pamięta każdy detal. Na przykład gdzie można było znaleźć jabłka latem czterdziestego trzeciego.

– Kosztele czy boikeny? – kpił Fiotroń.

– Papierówki – odparła Brzytwa, niezrażona jego niechęcią. – Zdobywane niemal cudem, o czym mi opowiedziała dziś rano, przy okazji napomknąwszy o ósemce.

– Myślałem, że to zamknięta sprawa – mruknął Fiotroń. Miał nadzieję, że skupią się wreszcie na tym, co istotne. Faktach dotyczących romansu jego żony.

– Ja też już położyłam lagę, a tu proszę, taki news. Więc słuchaj – zaczęła opowieść. – Leżę sobie w wannie, odprężając się przed pochodem, nucę *Odrobinę szczęścia w miłości*, nagle babcia sąsiada pyta, skąd mam taki wspaniały olejek. Nie czuła niczego podobnego od czasów zimnej wojny.

– Weszła do pani łazienki? Podczas tak intymnej czynności? – Fiotroń nie mógł ukryć zgorszenia.

– Poniekąd, ale to dłuższa historia. Zresztą sam zobaczysz. – Ocknęła się nagle. – O, rany już jesteśmy na miejscu! – Wskazała tęczowy tłum, wypełniający plac Matejki. – Ciąg dalszy nastąpi potem. Jak przeżyjemy. – Mrugnęła, pociągając Fiotronia za rękaw.

Przeszli przez kordon policjantów i znaleźli się w samym centrum przyszłych wydarzeń. Dziwne doświadczenie, zwłaszcza dla kogoś, kto ostatni pochód (z okazji pierwszego maja) zaliczył jeszcze w podstawówce. Fiotroń rozejrzał się ostrożnie, omiatając wzrokiem stojących w pobliżu ludzi. Całkiem zwyczajni, ocenił, nie bez zdziwienia. Po transmisjach podobnych manifestacji spodziewał się większej frywolności, zarówno w strojach jak i w zachowaniu. Tu jedyną ekstrawagancją była tęcza, wymalowana na transparentach, koszulkach i z rzadka na twarzy. Gdzieś mignął tęczowy parasol albo cudaczny cylinder, i to wszystko! A przecież na berlińskiej Paradzie Miłości...

– Och, ta słynna berlińska Parada Miłości! – Brzytwa przewróciła oczami. – Na której tyle się dzieje. Media zapominają tylko napomknąć, że to impreza muzyczna. Coś jak Woodstock tyle, że w nieco innej scenerii.

– Ale geje tam chyba bywają?

– W Opolu też bywają. I na pielgrzymkach. Media wolą jednak soczyste obrazki z Berlina. Równie dobrze mogliby pokazywać karnawał w Rio.

Telewizja potrzebuje jaskrawych akcentów, przyznał Fiotroń, wracając do przerwanych obserwacji. Ci zgromadzeni na placu Matejki raczej nie trafią do programu „Uwaga". Z kolorowymi balonikami w dłoni wyglądają, jakby wybierali się na piknik do Ojcowa. Zbyt grzeczni, zwyczajni i stanowczo za młodzi. Jeszcze wierzą, że im się uda, skrzywił się Dionizy, czując dziwny ucisk w piersi. Nie, żaden wielki ból egzystencjalny. Raczej smutek, jaki się odczuwa w pierwszy, naprawdę chłodny wrześniowy poranek. Fiotroń zrozumiał nagle, że dla jego zblazowanych znajomych nie ma tu miejsca. Ich entuzjazm wypalił się w połowie lat dziewięćdziesiątych, a teraz mogą sobie pooglądać w telewizji, jak ktoś inny usiłuje zmienić świat. Jeszcze chwila, a zostaniemy zepchnięci na boczny tor, pomyślał, i aż pociemniało mu w oczach. Co się ze mną dzieje, zastanawiał się, rozmasowując skronie. Przecież na ogół nie zawracał sobie głowy przemijaniem czy starością. Ani swoją, ani cudzą. Własna matka wydawała mu się coraz młodsza, zwłaszcza od kiedy pochowała ojca i wszystkie berety. Patrząc w lustro i na Szarlotę miał wrażenie, że czas niemal stoi w miejscu. A już na uczelni czuł się zupełnie jak smarkacz, nie tylko dzięki królowej sekretariatu. Otoczony studentami Fiotroń po prostu zapominał o swoim wieku. Naturalnie utrzymywał dystans, po to głównie, by egzekwować dyscyplinę. Jako człowiek z natury miękki miał świadomość, czym zakończyłoby się spoufalanie z grupą: deszczem niezasłużonych piątek. Zachowanie równie nieprofesjonalne jak produkcja banknotów bez pokrycia. Znalazł więc sposób, by ukryć niedobory własnej asertywności pod skorupką oschłego belfra. W głębi duszy jednak czuł się jak nieco tylko starszy (i bardzo nieśmiały) kolega.

Teraz, stojąc wśród nieznajomych „dzieciaków" Fiotroń przypomniał sobie, że od jego dyplomu upłynęło wiele lat. Ponad piętnaście, a on ciągle jest tylko doktorem. Obiecuje sobie, że w tym roku już na pewno się habilituje, potem brak mu motywacji i energii. Pewnie dlatego jego kariera naukowa utknęła w martwym punkcie. Ba, żeby tylko to. Miał wrażenie, że on sam znalazł się w potrzasku, bez możliwości ucieczki. Stąd wieczorne napady lęku albo narastające aż do granic wytrzymałości przygnębienie. Dlatego tak rozpaczliwie poszukiwał Brzytwy. Tylko czy ktoś równie roztrzepany może go uratować? Niby jak?

– Pompujemy. – Podała mu niebieski balonik.

Błękitne koło ratunkowe, prychnął Fiotroń, posłusznie biorąc się do pompowania. Kiedy napełnił siódmy balonik, pochód ruszył. Przekroczywszy ulicę, powoli popłynął Plantami obok Poczty Głównej, skręcając następnie w plac Wszystkich Świętych. Atmosfera niemal piknikowa. Tu i ówdzie ktoś żartował, z tyłu opowiadano o podobnej demonstracji w Warszawie. Obok młode małżeństwo popychało wózek z przedszkolakiem. Można by pomyśleć, że to niedzielny spacer, gdyby nie policjanci. I gapie, całe mnóstwo ciekawskich. Ustawili się wzdłuż alejek, pstrykając zdjęcia komórkami. Jakbyśmy przylecieli z Neptuna, dziwił się Fiotroń, zakłopotany tą nagłą i niezasłużoną sławą. A przecież niczym się od siebie nie różnimy. Więc wystarczy zmienić kontekst, ustawiając byle barykadę?

Mijali właśnie trzech mężczyzn stojących na parkowej ławce.

– Zboczeńce, do gazu z wami! – ryczał najmniejszy z nich. – Adolf miał rację!

– Kaprysiak – wyjaśniła Brzytwa. – Albo jeden z jego licznych klonów. Niestety nie *made in China*, więc nie rozsypią się po pierwszym praniu. Cześć, Beret – zwróciła się do robocopa, który wyrósł nagle tuż obok Dionizego. – Wszystko pod kontrolą, możesz wyluzować.

– Rok temu spuściłem cię z oka i mało nie straciłaś swojego, ot co!

– Bez przesady, to był tylko pomidor i trafił mnie w czoło. Idźże już, nie rób mi obciachu. Sio! – Machnęła dłonią, jakby chciała przepędzić natrętną komarzycę. Robocop nie zrażony odprawą, dzielnie dotrzymywał im kroku. Może zapewni nam większe bezpieczeństwo, pomyślał Fiotroń, obrzucając zazdrosnym wzrokiem jego imponującą sylwetkę. Takich tricepsów nie ma żaden z jego kumpli okupujących codziennie siłownię. To na pewno zasługa dobrze skrojonego munduru, pocieszył się szybko. Zresztą, w sumie, nie wygląda to aż tak atrakcyjnie, jak na przykład w telewizji. Może dlatego, że robocop za mocno ściska ramionami boki. Dziwne, na ogół faceci tej postury trzymają ręce rozłożone, jakby nieśli pod pachami spore arbuzy. Beret trzyma co najwyżej pastylki od kaszlu i bardzo stara się nie zgubić ich po drodze.

– Nowy wielbiciel? – dopytywał Brzytwę, łypiąc złowrogo na Fiotronia i nie odklejając ramienia od boku, szturchnął rywala koniuszkami palców.

Dionizy aż podskoczył.

– Przywitać się tylko chciałem – uspokoił go robocop, podając dłoń. – Beret jestem. A ty kto?

– Powiedzmy, że klient – ucięła Brzytwa, rozglądając się na boki. – Patrzcie, Karola! Tam przed nami, po lewej! Też nas widzi!

Energicznie pomachała koleżance pękiem baloników. Pomarańczową twarz Karoli rozjaśnił uśmiech, który narzeczony Krystian zgasił jednym ruchem. Jak peta. Przywołana do porządku dziewczyna natychmiast przybrała właściwą postawę, znikając za transparentem z napisem: „Smok Wawelski woli dziewice".

„Smok woli dziewice", „Nie – dla pedałowania", „Dwaj faceci nie mają dzieci", „Chłopak dziewczyna normalna rodzina" – żałosne hasełka, ale to właśnie one mają szansę trafić do wieczornych wiadomości. Ciekawe, kto jest autorem? Frustraci z przedmieść czy prawdziwi fachowcy od reklamy? Nie zdążył jednak zapytać Brzytwy, bo właśnie wkroczyli Grodzką na Rynek Główny. Pochód stanął, nagle zrobiło się naprawdę duszno. Tu i ówdzie poleciały przeterminowane jaja, a od strony Adasia, na melodię *Guantanamera*, patriotycznej pieśni z Kuby, równie patriotyczny song narodowców: „Każdy wam powie, nie ma dla gejów miejsca w Krakowie". I skandowane: „Zrobimy z wami to samo, co Hitler z Żydami". Potem znowu jaja, parę kamieni i samotny pomidor z Biedronki.

– Dzielą się jedzeniem – ktoś zażartował. – Szczodry gest pasiaka polskiego.

Fiotroniowi nie było do śmiechu. Podenerwowany obserwował ludzi po drugiej stronie barykady. Na pozór zwykłe osiedlowe ziomy w dresach z kapturem. Swojskie chłopaki na garnuszku mamusi albo babci. Zrezygnowani brakiem filmowych perspektyw okupują parkowe ławki, drzemiąc w słońcu. Z trudem wykrzeszą energię na trening w pobliskiej siłowni, ale na obranie ziemniaków do schabowego już nie bardzo. I nagle: bim bam bom – baterie naładowane. Pora wziąć transparent do ręki i z twarzą przysłoniętą czarną chustką lub szalikiem kibica wrzeszczeć o czystości zasad. Co im każe stanąć na baczność? Frustracja, nienawiść do własnego cienia? A może źle pojęty idealizm, zastanawiał się Fiotroń, obserwując zamaskowanego draba, który zaczął skakać w miejscu niczym gumowa piłeczka. W trzy sekundy dołączyli do niego inni, wrzeszcząc: „Kto nie skacze, jest pedałem".

– Jakby ktoś wcisnął im jednakowy program, niesamowite.

Fiotroń sporo wiedział o procesach grupowych, ale obserwowanie owych procesów z tak bliska nawet na nim zrobiło wrażenie. Zaraz jednak jego uwagę przykuło coś innego: uczestnicy demonstracji, jakby w odpowiedzi na występ „skoczków", wypuścili z rąk baloniki.

Na bladym kwietniowym niebie zakwitła kubistyczna tęcza. Rozległy się oklaski. I gwizdy.

– Nasze nie poleciały – zmartwił się Fiotroń. Trudno zresztą oczekiwać cudu, podczas nadmuchiwania zastosowali standardową mieszankę: tlen 17%, dwutlenek węgla 4%, azot 78%, argon i inne gazy 1%.

– Wybijemy je do kolegów zza muru – zaproponowała Brzytwa, serwując narodowcom różowy balonik.

– Telegram przyjaźni!

Niestety, koledzy zza muru nie zrozumieli przesłania, natychmiast obrzucając nadawczynię ogniem przekleństw (jaja wystrzelali już na początku). Brzytwa odpowiedziała im uśmiechem. W obliczu tak jawnej prowokacji musieli posłać komandosa do zadań specjalnych. Ów, przebrany dla niepoznaki w dresik z Tandety, przedarł się przez kordon zapatrzonych na balony policjantów i dopadł Brzytwę, by dokonać ostatecznej reformy jej procesów myślenia.

– Ty bura suko, w dupę jebana! Zaraz ci pokażemy...

Zanim komandos zdążył zaprezentować pełną ofertę reedukacyjnych atrakcji, spacyfikował go Beret, waląc tonfą i doprawiając pieprzem w spraju. Fiotroń też nie wytrzymał. Z zaciśniętymi pięściami dopadł chłopaka, by tłuc, kopać i bić, gdzie popadnie.

– Ty szczurze, podły, żałosny...

– Spokojnie, wystarczy – odezwał się Beret, odciągając Fiotronia za pasek. – Zostaw. To tylko człowiek.

*

– No i jak się czułeś w roli Obcego? – zapytała po wszystkim.

Stali właśnie na Bulwarze Inflanckim, studząc rozpalone policzki w chłodnym powietrzu znad Wisły. Fiotroń przygryzł usta, zastanawiając się, jak w kilku zgrabnych zdaniach upchnąć targające nim emocje. Na początku, kiedy maszerował Plantami, nie myślał o żadnych rolach. Był sobą: Dionizym F. Królestwo: zwierzęta, typ: strunowce, rząd: naczelne, podrodzina: Homininae (obok goryla i szympansa), rodzaj: człowiek, tytuł: doktor nauk społecznych. Mężczyzna, jakich wielu, choć na swój sposób wyjątkowy. A jednak ci wszyscy krzykacze ustawieni wzdłuż chodników dostrzegali w nim dewianta i kosmitę. Dlaczego? Przecież od wczoraj nic się nie zmieniło. Owszem, trzymał w dłoni parę baloników, ale nie z tego powodu trafił do worka z napisem „odmieńcy". Bezmyślne cymbały, wystarczy im byle ścianka działowa, mruknął, obrzucając wrogim wzrokiem ludzi stojących za kordonem i w tej samej chwili zdał sobie sprawę, że jemu również zmieniła się percepcja. Nagle tamci za murem wydali się Fiotroniowi dziwnie jednowymiarowi. Jak papierowe postaci, do których łatwo wycelować. I strzelić.

A już to, co poczuł do skaczących pasiaków, wydarzenia, które nastąpiły potem, Fiotroń najchętniej wymazałby ogromną gumką. Ciągle jednak ma przed oczami przerażoną twarz „komandosa" w dresie z Tandety. Jak to możliwe, że on, Dionizy F., kulturalny mężczyzna, którego zainteresowania koncentrują się na motywach bukolicznych w malarstwie europejskim, stracił nad sobą kontrolę? Oczywiście mógłby przerzucić odpowiedzialność na atakującego. Mógł też wytłumaczyć swój wybuch koniecznością niesienia pomocy. Jeśli chce, potrafi być przekonujący. Ale siebie nie oszuka, nawet nie warto próbować. Tego właśnie się nauczył na warsztatach wewnętrznej detoksykacji. Nie zaprzeczaj, nie kłam, zaakceptuj własny cień. Więc zgoda. Oto ja, pomyślał, wielbiciel sielanek, krainy łagodności, a czasami rozjuszony gekon. Taki właśnie bywam, to znaczy jestem, poprawił, przypomniawszy sobie wskazówkę guru. Jestem dobry i zły, jin i jang. Na ogół opanowany, ale okazjonalnie tracę kontrolę, tym samym (tu przełknął ślinę)... zrównując się z byle prostakiem, co niepotrzebnie podkreślił cholerny anioł stróż w kuloodpornej kamizelce. Zostaw, to tylko człowiek, powiedział, chwytając Fiotronia za smycz paska. Człowiek taki jak ty. TAKI jak ty. No cóż, niech mu będzie, westchnął Dionizy, trzymając się zaleceń z warsztatów. Przez trzynaście pechowych sekund on i ogolony na zero dresik byli sobie równi, potem Fiotroń się ogarnął i powstał, zajmując stosowne miejsce na ewolucyjnej drabinie. Ale nie-smak, niestety, pozostał, przylepiony do Fiotroniowych pleców niczym mokry podkoszulek. Dziwne, na kursie obiecywano, że jeśli wyrazisz zgodę na własną, jakby to ująć, niedoskonałość, dyskomfort minie.

– Festiwal dla naiwnych – mruknął wreszcie, do-konawszy ostatecznego podsumowania wydarzeń na Rynku. – Piękne gesty i nic więcej.

– Za to właśnie lubię nasz naród – odparła Brzytwa, dziwnie się uśmiechając.

Fiotroń odwzajemnił uśmiech, doprawiając go obfi-cie sceptycyzmem. Gesty, dobre sobie. Dużo nam z nich przyjdzie w dzisiejszym świecie.

– Masz rację, niczego nie zmienimy. Z gestami czy bez nich – dodała po chwili.

– Niczego? – zdumiał się Fiotroń, zaniepokojony. – To po co pani chodzi na takie marsze?

Przysiadła na murku, otwierając kefir podhalański. Podsunęła, żeby się poczęstował. Odmówił, więc upiła łyk, potem drugi. Fiotroń stracił już nadzieję, że mu co-kolwiek wyjaśni.

– Kiedy pojawiamy się tu, na Ziemi – odparła wresz-cie, wpatrzona w brudną wodę – jesteśmy przegrani, już na starcie. Przegrani, bo umrzemy. Przegrani, bo nie decydujemy prawie o niczym co ważne. Przegra-ni, bo nie możemy zmienić tego, na czym najbardziej nam zależy. Ale w tej z góry przegranej wojnie, możemy coś pokazać: piękne gesty. Nazywam to odchodzeniem z klasą. Albo z twarzą, jak kto woli.

Przeciągnęła się niczym zbudzona z popołudniowej drzemki bura kotka.

– Są też inne plusy tej bezsensownej twoim zdaniem maskarady. Możemy wreszcie przejść na ty. Po tym, co razem przeżyliśmy... – zawiesiła głos, mrugając niczym wamp z trzeciorzędnych przedwojennych romansów. – Chyba że potrzebujesz dodatkowej stymulacji.

– Przecież...

– Zgadza się, ja przeszłam od razu. Nie uznaję „panowania" od matury – wyjaśniła. – Z tego powodu ledwo obroniłam dyplom. Więc jak? – Wyciągnęła kościstą dłoń. Podał jej swoją i uścisnął, delikatnie jak przystało na gentlemana.

– Fiotroń, Dionizy. Nie lubię zdrobnień – dodał natychmiast.

– Matka, Polka, choć bezdzietna. Teraz, zawsze i na wieki wieków amen.

– Świetny pseudonim – skwitował, tłumiąc rozczarowanie. No tak, on podał swoje personalia, a Brzytwa wykpiła się nickiem.

– Żaden pseudonim, tylko imię i nazwisko.

– A więc Polka to imię? – zapytał, z pewnym niedowierzaniem.

– Od Poli Gojawiczyńskiej. Ale nazywają mnie Polka. No wiesz, skoczne ruchy.

– Trochę to nie pasuje do lenia.

– Tylko na pozór. Załatwiam wszystko migiem, żeby mieć z głowy i zanurzyć się w słodkim bezruchu.

– A nazwisko: Matka? – drążył dalej.

– Po matce. Bo po ojcu byłoby Kutas. Stefan Kutas. Z pochodzenia Węgier i straszny fiut, nawiasem mówiąc. Zarywał wszystko, co nosiło spódnicę. Szkoci, Maorysi, bez znaczenia. Aż trafił do naszego miasteczka i wpadł po uszy. Matka również. Kiedy była w czwartym miesiącu ciąży, wreszcie jej się przedstawił. Wzięli ślub, ojciec przyjął nazwisko Matka i przestał być Kutasem. Zresztą nie miał wyjścia. Moja matka ma przydomek Królowa Matka. Od imienia Regina, ale rodzina zgodnie twierdzi, że nie tylko. Dobra, koniec rodzinnych rewelacji – oznajmiła, zeskakując z murku.

– Pora na przejażdżkę. Auto nie będzie nam potrzebne – dodała, bezczelnie się uśmiechając.

Fiotroniowi od razu ulżyło; mimo obietnicy poprawy Brzytwa nadal traktuje jego mondeo niczym starą nyskę. Wczoraj, przy pożegnaniu trzasnęła drzwiczkami tak, że do dziś dzwoni mu w uszach. Podeszli do jednej z motorówek, oferującej standardowe wyprawy do Tyńca i z powrotem. Brzytwa (na razie nie potrafi nazywać jej Polką) zastukała w szarozielony kadłub. Fiotroń, sięgnął dłonią do tylnej kieszeni. Nagle poczuł lekkie klepnięcie. Aż podskoczył. Co za poufałości! Jeszcze dzień, dwa i będzie na powitanie gryziony w ucho!

– Nie wygłupiaj się – usłyszał. – Schowaj ten portfel.

– Ależ jestem przygotowany – zapewnił, spinając pośladki. – Zarabiam wystarczająco dużo, żeby sobie pozwolić na... – przez chwilę szukał odpowiedniego słowa. – Na kaprysy.

– To rzeczywiście fest. Zawsze powtarzam chrzestnej, że bogatych stać na kaprysy, biednym muszą wystarczyć marzenia.

– Nie jestem bogaty – bronił się Fiotroń, ze zdziwieniem uświadamiając sobie, że już od dawna o niczym nie marzył. Kaprysy owszem. Nowy designerski pasek, weekend w Pradze, kurs jogicznego wybaczania. Ale żeby tak leżeć na tapczanie, z głową w obłokach? Sama myśl o podobnym marnotrawstwie własnych zasobów wydała mu się żałosna. – Istotnie, marzycielstwo to zajęcie dla życiowych bankrutów.

– Chrzestna twierdzi – ciągnęła Brzytwa – że to raczej kwestia kontroli. Bogatych po prostu nie stać na marzenia o czymś, co jest poza ich zasięgiem. Wyobrażasz sobie, jakby im spadła samoocena? O, jest nasz pan kapitan! – powitała rozczochranego chłopka roztropka. – Jak tam, Mietas, sobotnie połowy?

– Nieźle, nieźle. Miałem trzy kursy i styknie – pochwalił się kapitan, przybijając piątkę. – Zaraz będę zjeżdżał na obiadek, do mamuśki. Mogę was podrzucić.

– Skorzystamy.

– Wóz albo Przewóz jak zwykle?

Brzytwa przytaknęła, Fiotroń znowu zademonstrował gotowość do poniesienia kosztów.

– Daj pan spokój, panie – zganił go Mietas. – Przecież to po drodze jest. Puste powietrze bym wiózł, a tak se pogadamy, jak człowiek z człowiekiem. To wskakujcie i lecimy.

Wskoczyli, a chwilę później już mijali nowy most obok Galerii Kazimierz.

– Przydałby się taki na Ludwinowie – zauważył Mietas. – Ale radni nie mogą dojść do zgody. Więc pewnie poczekamy kolejną dekadę.

– No, chyba żeby zrobić hipermarket w hotelu Forum – podsunęła Brzytwa. – Wtedy od razu by się znalazły fundusze na kładki i drogi dojazdowe.

– No chyba że tak – przyznał Mietas.

Cisza.

– Cicho, nie? – odezwał się Mietas na wysokości mostu nowohuckiego. – Spokojnie.

– Spokojnie – przyznali.

– Ja to czasem w niedzielę – ciągnął Mietas – jak mam, powiedzmy, specjalny nastrój, takie tam muchy w nosie, wiecie – skinęli głowami na znak, że wiedzą – to zamiast pod Wawel, płynę se w drugą stronę, na Brzesko. Ustawiam łódkę w chaszczach i se leżę. Czekam, aż mi się klucha z much przewietrzy. Nie myślę o niczym – zaznaczył. – Nawet o kolacji. Tylko leżę i patrzę. Przed oczami obłoki, w mózgu cisza. Dwie, trzy godzinki i jestem jak nowo narodzony – dokończył, by znów zatopić się w milczeniu.

Minęli kolejny most, przy Mogile.

– Most przy Mogile – oznajmił Mietas. – O, wiara się wysypała. Jakieś nabożeństwo było.

– Albo wesele.

– W kwietniu to ponoć pechowe. Chociaż – przypomniał sobie nagle – ja brałem w prymaprilis, bo już dłużej nie szło czekać. No i...

Mocno zmarszczył czoło, zastanawiając się, jak to z jego małżeństwem było. Pechowe przez ten kwiecień czy niekoniecznie?

– Ot, i mamy Przewóz. – Wskazał dłonią. – Zleciało pierunem, co? Jak to przy rozmowie. Tu was wyrzucę, bo ładna trawa. A z powrotem... – zafrasowany poczochrał bujną piastowską strzechę. – Żeby to rano było, to by was mógł dorożką zabrać Antek z Niepołomic. Ale o tej porze?

– Spokojnie – pocieszyła go Brzytwa. – Byś widział, gdzie moi starsi mieszkają. Za blokiem mają tabliczkę z napisem „Koniec świata". I co? Udało mi się wyrwać? To i tu damy radę.

Uścisnęli sobie dłonie na pożegnanie i Mietas odpłynął w siną dal.

– Mamy jakieś plany? – zainteresował się Fiotroń, kiedy już się umościli na zwalonym pniu drzewa.

– W jakim sensie?

– No, chciałbym wiedzieć, co będziemy robić dziś i jutro, i...

– Z żoną też tak planujecie każdy dzień?

– Dawniej chyba tak, ale od przyjazdu do Krakowa...

– Więc jednak nie od jesieni? – ożywiła się nagle.

– Sam już nie wiem. Kiedy się teraz zastanawiam, dostrzegam pewne niepokojące sygnały już wcześniej. – Umilkł, zdezorientowany. – Ale może to tylko reakcja na przeprowadzkę. Wiadomo przecież, że zmiana zamieszkania stanowi spory stres. Dwadzieścia punktów na skali według Holmesa. A w Polsce może nawet pięćdziesiąt cztery, zważywszy trudności lokalowe.

– Są pewne wyjątki – wtrąciła i zanim zapytał, kogo ma na myśli, wypaliła pierwsza: – A jak powiedziałeś żonie o nas?

– O nas? – wybałuszył oczy.

– Aleś ty dosłowny, chłopie. Miałam na myśli nasz wspólny tydzień. W końcu zajmuję ci sporo czasu. Na przykład wolną sobotę.

– Nie mówiłem – przyznał, dziwnie zakłopotany. – To znaczy wspomniałem, że mam trochę luzu w firmie i mogę wstawać nieco później. Za to będę musiał podskoczyć do biura w ten weekend.

– A Szarlota?

– Jakby do niej nie dotarło. Mam wrażenie, że jest zaaferowana czym innym.

– Co zrobisz, jeśli okaże się, że jednak ma kochanka? – zapytała, gryząc źdźbło młodego perzu.

– Zwrócę jej wolność.

– Sobie również – zauważyła. – A potem, co? Rzucisz się w wir randek?

W wir randek? Wielkie dzięki! Już to przerabiał, przez dwa lata tak zwanej wolności pomiędzy Penny a gorącą Andreą. Żenujące randki w ciemno z kobietami zdrapkami, nigdy nie wiesz, co się kryje pod warstwą sreberka. On zwykle trafiał na „spróbuj jeszcze raz". Albo na wyfiokowaną frustratkę dopytującą się: „co z nami będzie?" już po drugim spotkaniu. Po drugim, bo Fiotroń, jako człowiek delikatny nie potrafił odmówić swojego numeru komórki. Już wolał go zmienić, niż patrzeć na rozczarowaną minę. Albo łzy. Jeden jedyny raz spróbował być brutalem, odklejając glonojada przyssanego do jego dżinsowej koszuli. Skończyło się zniszczeniem garderoby i blizną na ramieniu (prawie już niewidoczna dzięki rewelacyjnym zabiegom w gabinecie Szarloty). Po tym traumatycznym wydarzeniu Dionizy zrezygnował z randek w ciemno, wybierając, za namową Debeściaka, nową formę rozrywki: przygody klubowe. Z założenia jednonocne, a pamięta je, niestety, aż do dziś. Nigdy wcześniej nie podejrzewał, że orgazm może być tak przykrym doznaniem. A kac! Masakryczny! Warto od razu zaznaczyć, że Fiotroń nigdy nie uciekał przed kosztami. Spodziewał się, ba, oczekiwał nawet, że miernej rozrywce towarzyszą przykre skutki uboczne. Ale żeby aż takie? Gdyby miał to porównywać do picia alkoholu, to... no cóż, to jak odchorowywać pół kieliszka cienkiego wina przez okrągły tydzień.

Nie, zdecydowanie ten rozdział życia ma już na szczęście za sobą. Żadnych randek, niespodzianek i sfrustrowanych kobiet udających napalone pantery. Nawet jeśli są równie atrakcyjne jak Pamela, pozory mylą. Zazwyczaj.

– Z tą atrakcyjnością dziwna sprawa – podjęła Brzytwa. – Wydaje nam się, że najbardziej gorące są panny wystylizowane na dziwki. A nie ma chyba kogoś mniej podnieconego seksem niż wzięta prostytutka.

– Naprawdę?

– Przecież to jest taśmówka, chłopie. Dwunastu klientów pod rząd i każdemu trzeba zapodać te same pierdoły, ten sam zestaw entuzjastycznych okrzyków. Erotyczny Burger King.

Dwunastu? Skąd ona zna takie szczegóły? Sam nigdy nie był w agencji, odliczając jeden nędzny epizod w Sarmackich Wywczasach. Ale jeśli to tylko występ z playbacku, szkoda tracić energię. Wystarczy mu bali maskowych na co dzień.

– Może to przekonanie o gorących *call-girls* przyszło ze Stanów – zasugerował. – Tam ludzie bardziej angażują się w pracę.

– Na pewno są lepsi w okazywaniu entuzjazmu. „Uwielbiam swoja praca. Ona tak mnie uszczęśliwia i rozwija!" Radość termita – podsumowała Brzytwa, majtając w powietrzu bosymi stopami. – Na szczęście nasze *call-girls* mają zdrowy dystans do swojego zawodowego rozwoju. Niektóre oczywiście przesadzają, upodabniając się do zblazowanych urzędniczek, nawet z ubioru. Ale lepiej tak, niż popłynąć w drugą stronę. Wyobrażasz sobie, co się dzieje z pracoholiczką?

Fiotroń nawet nie usiłował. Przemknęło mu przez chwilę, czy ktoś taki nie byłby dobrą odskocznią w sytuacji traumy porozwodowej. Rychło jednak uświadomił sobie, że nie dałby rady. Ani finansowo, ani tym bardziej kondycyjnie. Już woli postawić sobie domek na odludziu i odetchnąć świeżym, górskim powietrzem.

– Skoro randki odpadają – wróciła do tematu Brzytwa – masz chyba jakiś plan na „potem".

– Chciałbym przede wszystkim odpocząć. Od miasta, tłumu, od zbyt miękkich foteli i przymusowych spotkań integracyjnych. Bez planów – wyznał, zaskoczony własną wylewnością.

– Przymusowych? To niezgodne z unijnymi normami – zażartowała.

– Ale powszechnie stosowane. Nigdy nie pracowałaś na etacie?

– Przez całe trzy miesiące. Tak zwany okres próbny.

– A potem?

– Potem miałam poważną rozmowę z szefem.

Brzytwa wkroczyła do gabinetu wielkości Tanzanii, stanęła przed biurkiem u stóp jeziora Wiktorii, ukłoniwszy się niczym cyrkowy kucyk. Bwana Kubwa omiótł wzrokiem jej blade rzepki kolanowe, wspiął się wyżej, nieznacznie oblizując spuchnięte wargi, zmarszczył brwi w poszukiwaniu piersi. Wreszcie ogłosił werdykt: wydajność owszem, cała reszta nie.

– Ma pani problem z integracją – oznajmił, zaglądając do tajnych dokumentów. – Tak zadecydował audyt wewnętrzny.

– Trudno, żebym bawiła się z grupą, wiedząc, że wśród nas są szpicle.

– Innym się jednak udaje.

– Chciałeś chyba powiedzieć, że inni lepiej udają – odparowała, natychmiast prosząc o definicję integracji. – Dwa, trzy zdania z jakiegoś obowiązującego obecnie podręcznika.

– Tego pani nie zdradzę.

– Z pustego i Salomon nie naleje, co?

– *Proszę uważniej dobierać słowa! I co to za mówienie per ty?*

– *Skończyłam z „panowaniem" po otrzymaniu świadectwa dojrzałości.*

– *Ale jakieś formy należałoby...*

– *Trzymam je w kuchennej szufladzie. I wyciągam tylko na święta. No dobra. – Zerknęła na swój elektroniczny zabytkowy zegarek z Węgier. – Ponieważ czas nas obojga jest bardzo cenny, wróćmy do konkretów. Chciałabym usłyszeć, gdzie popełniłam błąd. Chyba że tego też nie wiesz.*

– *Wiem wszystko – zapewnił, zapuszczając żurawia do notatek. – I zaraz przedstawię wyczerpujące dane. Proszę: jedenasty lipca. Odmówiła pani poczęstunku zaoferowanego przez kolegę z pokoju 108.*

– *Bo nie jadam pasztetów z cieląt. Coś jeszcze?*

– *Nie wychodzi pani na przerwę razem z resztą...*

– *Palaczy? Wystarczy mi wawelski smog i bździuchy puszczane przez kadrową.*

– *Ale najważniejszy tkwi w pani postawie – wymownie spojrzał na jej żebra. – Otóż członkowie audytu zgodnie oświadczyli, że nie zaobserwowano gotowości do obrony totemów grupowych.*

– *Ty to rozumiesz, ale tak szczerze, z ręką na wacku?*

– *Wacku?*

– *No wiesz, serce jest stanowczo przereklamowane. A taki wacek, zwany rogalem nie oszukuje. Podobno.*

– *To już gruba przesada!*

– *Jednak? A to łobuz!* – *Brzytwa nie kryła oburzenia.* – *Więc dobrze, zapomnijmy o rogalach. Ciekawa jestem, czy dałbyś radę przełożyć ten donos na żywy język polski.*

– *Proszę bardzo* – *huknął wyprowadzony z równowagi.* – *Już przekładam na pani prymitywny żargon. Otóż, grupa szpiclów uważa, że gdyby zaszła taka potrzeba, nie dałaby pani nikomu w ryja. Zadowolona?*

– Więc dałam, prosto w trzecie oko – podsumowała opowieść, przysiadając na konarze niczym kapucynka czubata. – Zanim gościa oświeciło, wyszłam na świeże powietrze. I tak mi zostało.

Fiotroń też by chętnie wyszedł, ale dokąd? Przecież nie będzie spacerował w kółko dookoła swojego osiedla. Opuszczając jedno miejsce, należy wcześniej określić nowy cel. Więc dokąd? W góry, pojawiła się zuchwała myśl. Wynająć domek nad potokiem i hodować owce świniarki. Ale czy takie życie dostarczyłoby mu trwałej satysfakcji? Bardzo wątpliwe. Wielu mieszczuchów snuje fantazje o chatce z drewnianą podłogą i własnoręcznie ulepionym piecem. Co odważniejsi biorą bezpłatny urlop, by zaszyć się w Borach Tucholskich. Po

tygodniu euforii psa spuszczonego z łańcucha zaczyna
się walka o ogień. Po miesiącu pojawiają się sny o wer-
salce. Kaloryfery, ciepła woda, pralkosuszarka i piekar-
nik, wszystkie te banalne urządzenia, o których myśleli tylko w chwili awarii, nagle nabierają magicznego
wręcz uroku. Pora wrócić do budy, z podkulonym ogo-
nem. Fiotroń woli sobie oszczędzić podobnych rozcza-
rowań.

Zresztą bardzo by się męczył, wiedząc, że zawiódł
własną żonę. Umawiali się przecież na wspólny bieg
przez życie, a wbrew panującym powszechnie tenden-
cjom Fiotroń szanuje wszelkie zobowiązania. I lubi
o sobie myśleć jak o człowieku z zasadami. Konsekwen-
tny i odpowiedzialny. Pod warunkiem, dodał natychmiast, że druga strona również przestrzega kontraktu.
A jeśli Szarlota **nie** przekroczyła ustalonych w umowie
granic? Cóż, wtedy postara się żyć jak dawniej, wpro-
wadzając drobne udogodnienia. Na przykład zrobi coś
z pasjami. Zauważył ostatnio, że sprawiają mu coraz
mniej przyjemności. Nawet przejście na wyższy poziom
nie cieszy tak jak kiedyś. Im więcej zainteresowań, tym
mniej się angażuje. Co gorsza, nie czyni znaczących postępów. Jest marnym tenisistą, pływa wyłącznie na ba-
senie, bo w jeziorze zaczyna panikować, po rosyjsku
nie odważyłby się rozmawiać z nikim poza swoją lek-
torką. Jedyne, co budzi przyjemne emocje, to kolekcje
z motywami sielanki. Ale wszystko poza tym przesta-

ło Fiotronia bawić, co najmniej od zeszłej jesieni. Nawet zajęcia mające relaksować nie przynoszą spodziewanych efektów. Kark nadal spięty, a dusza obolała już od roku. Musi ograniczyć aktywność, zadecydował. Ale jak? Jego grafik jest wypełniony równie ciasno jak regał z kryminałami w piwnicy matki. Gdyby wyjąć choć jeden, reszta natychmiast wysypałaby mu się na głowę. A gdyby częściej brał krótkie, awaryjne urlopy? Parę dni wolnego od miejskich rozrywek pozwalałoby odnaleźć zadowolenie z pracowicie spędzonego dnia. Wypoczęty znowu odczuwałby radość z drobnych zwycięstw nad czasem. Dziś nauczyłem się dwa razy więcej rosyjskich słówek, powtarzałby podczas golenia. Tak, jakbym wygrał dodatkową godzinę. Więc na razie urlopy, począwszy od obecnego. A potem? Czy uda mu się wrócić na swoje miejsce? Czy tego właśnie pragnie?

– Leżakowanie dobiegło końca – oznajmiła Brzytwa, pstrykając mu palcami koło ucha.

– Jak wrócimy? – spytał, otrzepawszy z kory swoje stare (włożone specjalnie na pochód) sztruksy.

– Złapiemy okazję. O tej porze nie powinno być problemu. Wypoczęty?

– Sam nie wiem – przyznał. – W innych warunkach mógłbym tak chyba spędzić całe życie. Ale w obecnej sytuacji odczuwam spore napięcie. Być może, kiedy sytuacja się wyklaruje...

– Jesteśmy na właściwej drodze – odparła, wskazując ścieżkę prowadzącą do głównej szosy. – Więc porządnie się zastanów.

Nie dopytywał, co miała na myśli. Chyba nie jest dziś gotowy na prawdę. Woli odłożyć podobne przemyślenia, aż Brzytwa poczyni postępy. A na razie będzie się przyglądał. Sobie, Szarlocie i tej, która ma im pomóc. Czy stanie na wysokości zadania? Na razie stoi na wysokości Szparagowej, usiłując złapać okazję. Z jej aparycją trochę to potrwa, ale właściwie nigdzie mu się nie śpieszy. Szarlota pewnie jest zajęta swoimi sprawami, masaż odwołany z powodu grypy, mieszkanie wysprzątane przez Swietłanę, dochodzącą Ukrainkę. Słowem, wolna sobota.

– O, merol mojej chrzestnej! – ucieszyła się Brzytwa, wyskakując na środek jezdni.

Jak ona to przyuważyła? Z takiej odległości, dziwił się Fiotroń. Przecież nie zwraca uwagi na auta śmigające tuż obok jej nosa. Prawdę powiedziawszy, nie dostrzega samochodów nawet, jeśli przejeżdżają jej prawie po palcach stóp. W życiu nie spotkał równie rozkojarzonej osoby.

– Jesteś pewna?

W odpowiedzi tylko prychnęła. Teraz i Fiotroń rozpoznał białego Sprintera.

– Dziwne. Ostatnim razem jechała przecież trasą Kraków–Myślenice.

– No właśnie – podchwyciła Brzytwa, machając ręką jak wytrawna autostopowiczka. – Szczypta magii w sobotnie popołudnie.

– A może zwykły zbieg okoliczności.

– Wolę wierzyć w czary-mary, które chrzestna nazywa całusami od Losu. Zresztą takie są najfajniejsze. Duży cud zobowiązuje. – Zaczęła szarpać się z drzwiczkami busa. – Cześć, ciocia. Podrzucisz nas w pobliże centrum?

– Właśnie tam jadę – odparła chrzestna, z zadowoleniem gładząc się po afro. – Miałam nadzwyczajny kurs, pod Brzesko. Weselnicy. A teraz śmigam do M1, poszukać eleganckich czerwonych korali na niedzielę. Niech wskakują – zaprosiła ich do środka i natychmiast zaczęła wystukiwać cyferki na kasie fiskalnej. – Dwa bilety do ronda Grzegórzeckiego. Stamtąd złapią tramwaj.

– Ile płacimy? – dopytywał się Fiotroń.

– Tylko tak skasowałam, żeby nie wyjść z wprawy. I dla kontroli, ewentualnie. Jak tam manifestacja? Flaga się przydała?

– Wyłącznie do machania. Choć zdarzyło się parę gęstszych momentów.

– Ja tam nie lubię przemocy. Wolę spokój. Kiedyś to nawet do klasztoru chciałam iść. Żeby odciąć się od całego świata. Od przemocy, wojen i tego no, testosteronu.

– Naprawdę? – zdumiał się Fiotroń, wpatrzony w obfity wąs.

– Słowo skauta. Se myślałam, że w klasztornych ce-
lach odnajdę spokój. I sens życia. O ile „odnaleźć" to
dobre słowo – mruknęła, nieco ciszej. – W każdem razie szykowałam się na aspirantkę, wybrałam już listę
zakonów. Szarytki, felicjanki, redemptorystki w ciem-
noczerwonych habitach, cudeńko.

– No i?

– Wracałam wtedy do Krakowa, pociąg się spóźniał.
Każda minuta rozwleczona jak smugi mgły nad łąką.
Z nudów zaczynam się przyglądać podróżnym. Tuż
obok stoi starsza siostra zakonna. Drobi precla, żeby
nakarmić wróbelki. Fajnie, se myślę, wspomaga najsłabszych. Podejdę i zagaję, przy okazji się dowiem, jak
to jest u felicjanek.

– Skąd ciocia wiedziała, że to felicjanka?

– Po mundurze, znaczy habicie. Ja bym każdy roz-
poznała, nawet w ciemnej ulicy. Za mundurem panny
sznurem. No ja na pewno, choć już mężatka.

Powiedziała to z taką pasją, że Fiotroń niemal poczuł zazdrość. Ostatni raz miał w sobie tyle zapału
w siódmej klasie, kiedy szedł na pierwszy trening judo.
Po trzecim matka uznała, że nabito mu zbyt wiele siń-
ców i przepisała Dionizego na zajęcia z siatkówki, zupełnie ignorując fakt, że jej ukochany, najmłodszy syn
nienawidzi sportów zespołowych.

– A felicjanki to ci dopiero mają habity – ciągnęła
chrzestna. – Brązowe, biały kołnierzyk, czarny welon,

pasek pod kolor, drewniany krzyżyk, metalowa obrącz-
ka i szkaplerz. Cudo. Więc podeszłam i zaczynam gad-
kę o wróbelkach. A siostra na to, że ludziom przeszka-
dzają. Bo za szare, za brzydkie.

– Teraz docenili ich urok, kiedy zaczęto trąbić, że
giną.

– Wpływ telewizji – skrzywiła się z pogardą chrzestna, zaraz wracając do opowieści. – Wtedy jeszcze były
brzydkie i pospolite. Więc siostra narzeka, że ludzie
wróbli nie szanują. Przeganiają albo w najlepszym razie nie widzą. To samo z gołębiami. Latające szczury na
nie mówią, trutkę sypią, coś strasznego. A drzewom co
robią, szkoda wspominać.

– Wrażliwa bardzo.

– Też tak pomyślałam. I przyrodę lubi. Fajnie, razem sporo namieszamy w zgromadzeniu. Jakiś klasz-
torny Grinpis założymy. To było w siedemdziesiątym
trzecim, ja świeżo po maturze, w głowie zielono. Już
się cieszę na te nasze wspólne działania. I podpytuję
siostrę o stosunek do innych gatunków. Czy tylko pta-
ki lubi czy koty również. I koty, i psy, całe stworzenie
boże. To jak ja, dodałam uradowana, ale w klasztorze
nie można mieć chyba kota? A po co, pyta zdziwiona.
Ludzie teraz przesadzają. Tyle dzieci w sierocińcach,
a ci koty pieszczą. Albo do Bułgarii na wczasy, złotych
piasków szukają. A te dzisiejsze kobiety? Boże święty.
Co jedna to bardziej wymalowana. Jak pisanka. Tylko

że w środku puściusieńko. Nowoczesne wydmuszki. No i jak one prowadzą rodzinę w tych szarawarach długich, gdera dalej. Bo to wtedy moda na hippisów była. Długie marszczone spódnice, sukienki do ziemi, rozpuszczone włosy. Coś pięknego. Ale siostrze nie w smak. Że za długie, za frywolne i w ogóle. A ja w takiej właśnie stoję i mi głupio. Siostra zresztą też w żadnej mini, tylko wiadomo. Habicik jak się patrzy, do samiutkich kostek.

– Widocznie te hippisowskie miały zakazany urok. Niewłaściwy wzorek albo krój.

– Ja tam nie wiem, co miały, ale siostra bardzo się nakręciła. Że przez te spódnice dzietność w rodzinie spada. Dwoje dzieci, koniec świata. Wymrzemy jak nic, a do naszych pustych mieszkań wpuszczą kubańskich Murzynów.

– Przecież ona też uciekła od prokreacji.

– Pewnie, ale w imię wyższych ideałów. A jak już ktoś rodzinę zakłada, to niech traktuje zadanie poważnie. Co najmniej trójka dzieci, dwóch chłopców i dziewczynka. Żeby jakaś równowaga w przyrodzie była. Bo jeden z chłopców, wiadomo, pójdzie na wojnę. A pozostali będą budować pokój.

– Na zgliszczach.

– Tego już nie mówiła. Za to zaczęła narzekać na mężczyzn. Że przez ich grzechy rodzina też już nie taka. Bo gazetowe świństwa ze Szwecji zwożą, samotnej rozkoszy zaznając. Przez to dzieci coraz mniej. Ale z tymi dziećmi to też kłopot. Bo coraz gorsze, Boże Święty, coraz gorsze. Rozdarte, chciwe, zabawek żądają, klocków lego z Pewexu i słodyczy. Przed wojną tak nie było. Człowiek się cieszył, kiedy mu matka z gałganków lalkę uszyła. A czasem to i bez tego się obywano. I co? Jakie pokolenie wyrosło?

Umilkli, zastanawiając się, czy brak zabawek uszlachetnia czy wręcz przeciwnie. Czy obecne pokolenie wychowane w przesycie plastikową chińszczyzną bardziej doceni przyrodę. Na wróbelki może się już nie załapać, pomyślał Fiotroń, znikają z trawników szybciej niż porzucone zabawki.

– No a potem przyjechał pociąg – odezwała się chrzestna. – Pytam siostry, czy jej pomóc z bagażem, a ta torbę przycisnęła do piersi, jakby tam wiozła afrykański diament. I nagle mnie oświeciło! W jednej chwili zobaczyłam zwykłą przerażoną staruszkę. Pełną żalu do całego świata. Klasztor jej przed niczym nie uchronił. Ani przez strachami, ani przed goryczą. Więc i mnie nie pomoże, myślę. No to se odpuściłam habit, wybierając inne wyjście. Poniekąd awaryjne.

Fiotroń pomyślał ze współczuciem o jej mężu. Zadekowany w pokoju pełnym książek czeka na cud pojednania.

– Awaryjne – powtórzyła zamyślona. – Na szczęście po obaleniu systemu otworzyli granice. Zaczęłam jeździć, Berlin, Wiedeń, Paryż. I zrozumiałam wreszcie, co mnie uszczęśliwia. Można powiedzieć, odnalazłam przeznaczenie. Ach! – Pacnęła się w czoło, puszczając obszytą różowym misiem kierownicę. – Przypomniało mi się, że mam pierożki z mrożonymi borówkami. Sama lepiłam, dziś rano i wyszły tip top. Może by wpadli do mnie jutro po sumie?

– Niedzielny obiadek? – ucieszyła się Brzytwa. – Reflektujesz?

Niechętnie mruknął, że musi zapytać żony.

– Żona też może wpaść. Upiekę jeszcze ciasto. Z rambambarem. Potem załączę telewizor. Obejrzą se *Na dobre i na złe*, a ja wymienię im starte fleki w pantoflach albo przetrę szyby w aucie, jak mają. Mogę też w rowerze pogrzebać czy coś zeszyć. Albo nawet zacerować – ciągnęła podekscytowanym głosem. – Niedziela mi nie przeszkadza, bo to żadna praca, tylko czysta przyjemność.

*

Z jednej strony wąsy i dyskotekowe afro, z drugiej codzienność okraszona kompotem i pierogami. Nie tego spodziewał się Fiotroń po osobie o tak ekstrawaganckim wizerunku. Sądził, że chrzestna spędza niedziele zahaczona brodą o brzeg wanny, odchorowując sobotnią rozpustę. A może, przyszło mu nagle do głowy, to tylko fragment ochronnego kostiumu, jak złoty łańcuch, adidasy i łaciaty bulterier? Może pod peruką, wąsem i kowbojskimi butami kryje się przestraszony szarak z syndromem złotej rączki? Ale skoro sprawia jej to przyjemność? A co cieszy Fiotronia? Takie pytanie zadała mu Brzytwa, kiedy już wysiedli na Grzegórzkach. Łatwo wyliczyć. Rozwiązane zadania, załatwione do końca sprawy. Zaliczone egzaminy, przy czym warto wiedzieć, że Dionizy odbywa co najmniej kilka dziennie. Egzamin z diety, z porannych ćwiczeń mięśni brzucha, z zakupów i najtrudniejszy: z improwizacji. Jeśli zdoła uzyskać średnią równą cztery i pół, już czuje ulgę. A redukcja napięcia jest, w pewnym wieku, niemal równoznaczna ze szczęściem. Tylko czy od razu musi o tym mówić Brzytwie? Czy warto się aż tak obnażać? A nuż zostanie wyszydzony albo źle zrozumiany. Wykręcił się zatem standardowym: „nie wiem, muszę pomyśleć" i poprosił o następny zestaw pytań.

– Dlaczego wzięliście ślub?

– Z wielu powodów – odparł, zastanawiając się, jak je ułożyć we właściwej kolejności. – Przede wszystkim...

Doszedł do wniosku, że trzy miłosne rozczarowania całkowicie mu wystarczą. Przy czym słowo „rozczarowanie" należy uznać za pierwszorzędny eufemizm. Po rozstaniu z Andreą Fiotroń przysiągł sobie, że już nigdy nie będzie tak cierpieć. Zakochanie jest dobre dla masochistów, on woli spędzić życie w spokoju i komforcie.

Bez zazdrości i bezustannego wciągania brzucha. Człowiek z unormowaną sytuacją osobistą nie traci czasu na niepotrzebne flirty czy rozpaczliwą pogoń za złudzeniami. Skupia się na tym, co istotne: na wszechstronnym rozwoju. Ponadto czytał gdzieś, że samotni mężczyźni żyją o dziesięć procent krócej niż ci, którzy mają żony. Dziesięć procent, niebagatelna ilość dni i nocy. A skoro, on Dionizy nie obraża się już na życie, pragnie, by trwało jak najdłużej. I w jak największym komforcie. Po Sylwestrze spędzonym z Szarlotą stwierdził, że jest gotów. A ponadto zyskał zdolność kredytową. Właściwy moment do podjęcia właściwej decyzji.

– Chciałem się ustatkować – oznajmił, bez wnikania w niepotrzebne szczegóły.

– Nie chcieliście dzieci – raczej stwierdziła, niż spytała.

– Nie wiem, czy to ma jakiekolwiek znaczenie dla sprawy – mruknął, mocniej zawiązując sznurówkę.

– Ja też nie wiem, dlatego pytam.

– A ty czemu ich nie masz? Piątka maluchów świetnie by pasowała... – urwał w porę, uświadamiając sobie, że nawiązywanie do nazwiska to złośliwostki rodem z piaskownicy.

– Dzikie zwierzęta nie rozmnażają się w niewoli – odparła, nie spuszczając wzroku.

– W niewoli? – powtórzył zdumiony. – Nie znam nikogo bardziej wolnego.

– Och, tylko zmieniam szuflady, nie pozwalając, by je ktoś zatrzasnął na amen. No a ty – odbiła piłeczkę – czemu marnujesz TAKI materiał?

Tuż po studiach wierzył, że wszystko co najlepsze czeka za najbliższym rogiem. Świetna praca, pikantne romanse po godzinach, błyskawiczna kariera naukowa, konferencje w najmodniejszych kurortach świata, dom nad czystym jeziorem i wreszcie wielka miłość. Dziecko? Oczywiście, jak przyjdzie właściwa pora. Kiedy zakochał się w Andrei, zaczął je sobie nawet wyobrażać.

Złotowłosy Antoś, dziesięć punktów na skali Agpar. Superinteligentny, sprawny ruchowo jak szympans, a jednocześnie w pełni akceptowany przez grupę, dzięki wrodzonemu charyzmatowi i urodzie (po mamusi) oraz wybitnym zdolnościom przywódczym. Obdarzony absolutnym słuchem poradzi sobie w szkole językowej. Bez trudu zda do topowego liceum, klasę wybiorą wspólnie z Andreą. Profil informatyczno-bankowy, z wykładowym angielskim, poszerzonym francuskim i hiszpańskim. A może lepiej wybrać chiński? – zastanawiał się Fiotroń, masując stopy przyszłej matki geniusza. Zobaczymy, jak się rozwinie sytuacja na Dalekim Wschodzie. Możliwe, że zdecydują się na rosyjski. W miejsce francuskiego, żeby Antoś miał czas trenować mięśnie. Sprężysta sylwetka jest dziś równie ceniona jak imponujące płaty czołowe. Dlatego zapiszą

go na szermierkę i tenis. Jazda konna odpada. Nie cho-
dzi nawet o kontuzje, a raczej, by rzecz ująć elegan-
cko, o nieodpowiedni bukiet. Dla takich zapachowych
kwiatuszków nie będzie miejsca w ich przyszłym dwu-
poziomowym apartamencie. Owszem, Antoś mógłby
zostawiać obuwie w stajni, ale czy to bezpiecznie?
Tyle się dzisiaj mówi o grzybicy. Dlatego wybiorą te-
nis, no chyba że pojawią się jakieś antyperspiranty
dla koni. A latem, w słonych czystych morzach – za-
jęcia z nurkowania. Oczywiście będą też sporo zwie-
dzać, we trójkę. Dzięki tym zmasowanym działaniom
wyposażą Antosia w pełen pakiet możliwości. Będzie
mógł swobodnie się poruszać po „wielkiej szachowni-
cy". Co za radość dla współtwórców i sponsorów całe-
go przedsięwzięcia. A gdy Antoni opuści już rodzinne
gniazdo, by budować własną piramidę sukcesu, Fio-
troń posmakuje z Andreą wszystkich rozkoszy babie-
go lata. Ach, cóż to będzie za sielanka!

Kiedy odeszła, miesiąc później, Fiotroń wykre-
ślił Antka ze swoich planów. Zrozumiał, że nie ma ta-
kiej kobiety, z którą mógłby, chciałby... po prostu nie
ma i koniec! Zresztą dziecko, stwierdził, sprawdza-
jąc wyciągi z konta, to inwestycja, która nigdy się nie
zwraca. Nawet w jednej tysięcznej procenta! Wysysa
z nas to co najcenniejsze (młodość, siłę), by odejść, nie
obejrzawszy się za siebie. Oczywiście są rodzice, któ-
rzy domagają się zwrotu poniesionych kosztów, ale

zdaniem Fiotronia to żałosne. On nigdy by nie błagał o nędzne resztki tortu, które ukochane dziecko tak hojnie rozdało przypadkowym znajomym. Dosyć już upokorzeń, postanowił, lojalnie uprzedzając Szarlotę o swoim stosunku do prokreacji. Na szczęście przyszła narzeczona całkowicie podzielała jego zdanie. Ustalili więc, że dzieci nie będzie. Lepiej zrezygnować zawczasu, niż kiedyś skręcać się z tęsknoty w opustoszałym gnieździe.

Czy żałował swojej decyzji? Raz może dwa, słysząc entuzjastyczne wypowiedzi kumpli z firmy, zarażonych modą na późne rodzicielstwo. Dziecko jest lepsze od nowego landrovera, powtarzali, wybierając na Amazonie interaktywne zabawki dla utalentowanych (a jakże!) niemowląt. Przy tym ogromnie zmienia perspektywę i otwiera człowieka na nowe potrzeby.

– Głównie własnego dziecka – oznajmiła Szarlota, kiedy mąż podzielił się z nią rozterkami. – Ale czy to oznacza otwartość wobec świata, nie byłabym taka pewna.

Fiotroń po chwili namysłu przyznał jej rację. Nie zauważył, by któryś z jego znajomych stał się dzięki rodzicielstwu wrażliwszy na cudzą biedę. Wręcz przeciwnie. Nagle, spostrzegł, zaczynają iść na kompromis, przehandlowując resztki sumienia za walutę, którą można opłacić bezpieczną przyszłość ich dziecka. A jednak ciągle słyszał, jak się dzięki dziecku otworzyli na nowe.

– *Może chodzi o wybicie z utartych ścieżek i zwyczajów* – zastanawiał się, pijąc z Szarlotą wieczorne *cappucino*.

– *Ależ nikt nie trzyma się tak sztywno reguł, jak dziecko. Na podwieczorek musi być to co zawsze, choinka musi stać w lewym kącie pokoju, jak zawsze, a w serniku nie może być rodzynków, bo w poprzednich czternastu też ich nie było. Oczywiście sądzę swoją miarą* – dodała po chwili, delikatnie się uśmiechając.

– *Miałem na myśli kreatywność.*

– *Nie sztuka przechodzić na czerwonym świetle, jeśli nie znasz zasad sygnalizacji. Prawdziwy Twórca ma je w małym palcu.*

– I jednocześnie w dupie – zarechotała Brzytwa.

– Ty chyba również nie przepadasz za dziećmi – skwitował Fiotroń, nieco urażony, że tak brutalnie przerwano mu opowieść.

– Nie przepadam? Chłopie, gdybym była wrogiem dzieci, już dawno pracowałabym w McDonald's. Na akord! Więc potrzebowałeś stabilizacji. – Wróciła do tematu.

– Owszem. To takie dziwne? – zapytał zaraz, widząc jej minę.

Mężczyznom również doskwiera samotność niedzielnych wieczorów. Oczywiście, tu i ówdzie, trafi się beztroski Piotruś Pan, któremu wystarcza przyjaźń z komputerową myszką i pudełka po pizzy zamiast dywanu, ale Fiotroń zdecydowanie do nich nie należy. Lubi wspólne spacery po centrach handlowych i zwiedzanie zabytków Zjednoczonej Europy. A ponad wszystko ceni sobie ten stan zażyłości, kiedy nie trzeba już udawać ani czarować. Kiedy człowiek ma święty spokój, we dwoje.

– Dziwne? Skąd!

– To o co chodzi?

– Nie chciałabym uprościć za bardzo.

Umilkła, bawiąc się pierścionkiem. Dopiero teraz zauważył, że nie potrafi rozprostować serdecznego palca. Najmniejszego również. Właściwie ledwo nimi porusza. To dlatego jej lewa dłoń wydała mu się dziwnie szponiasta.

– Ujmę to tak – odezwała się wreszcie, przełożywszy pierścionek na prawy kciuk. – Jeśli masz parcie na związek, nie zastanawiasz się zbyt wiele, z kim go stworzysz. To trochę jak z głodem. Człowiek myśli, żeby go zagłuszyć. Nie mówi: „teraz się wybiorę na sushi", tylko „muszę coś wtrząchnąć". Rodzaj żarcia nie ma większego znaczenia.

– I tu się mylisz! Spotkałem, jak to ujmujesz, sushi w najlepszym gatunku.

– Dostrzegłeś je na porcelanowym talerzu i zaczęło cię ssać w żołądku? – drążyła, zdaniem Fiotronia, zupełnie niepotrzebnie. Bo jakie to ma znaczenie dla jakości związku. Bywa, że ludzie łączą się ot tak, na próbę, a zostają ze sobą całe życie, odnajdując przy tym prawdziwą miłość. Wprawdzie Dionizemu i Szarlocie nie udało się wykrzesać aż tyle ognia, ale zapalili jedną porządną świecę, tworząc naprawdę zgodny związek.

– Moje małżeństwo nie było, to znaczy nie jest złe – odburknął. – Wiele par mogłoby nam pozazdrościć.

– Wierzę. Na pewno bardzo się staracie.

Mógłby się bronić, ale nie będzie brał udziału w żenującej wymianie złośliwości. Podobne żarty od dawna go nie bawią.

– Ale ja wcale nie żartuję – zapewniła. – Zwłaszcza że cała ta sprawa bardzo mnie niepokoi.

– Więc uważasz, że Szarlota ma kogoś?

– Chyba nie doceniasz powagi sytuacji. I przy okazji własnej żony.

– Tak dobrze ją znasz? – obruszył się Fiotroń, nerwowo pstrykając znalezionym w kieszeni kurtki długopisem.

– Naszkicowałeś niezły portret pamięciowy, ale będę wdzięczna, jeśli dodasz kilka szczegółów. Niekoniecznie za pomocą farbek.

– Nie mam potrzeby koloryzowania rzeczywistości – wycedził z wyższością w głosie.

Poczuł jednak, że nie mógłby przedstawić żony w zbyt niekorzystnym świetle. Krytyka krytyką, ale pewne granice przyzwoitości powinny zostać zachowane.

– To do dzieła.

– Przede wszystkim Szarlota jest – przymknął oczy, żeby lepiej się skupić – na pewno inteligentna. Rzetelna i bardzo wytrwała. Nie lubi rezygnować z raz wytyczonego celu. Czego przykładem może być przygoda z **torebką**.

Odwiedzili wtedy Paryż. Już w pierwszej dobie Szarlota Fiotroń poczyniła bardzo cenne obserwacje.

Po pierwsze – biali Francuzi nie rozumieją ani słowa po angielsku. Nawet jeśli uczęszczali na lekcje do Victorii Beckham. A może właśnie dlatego.

Po drugie – bardzo lubią zwierzęta, pod warunkiem, że to ich własny buldożek (francuski), z imponującym drzewem genealogicznym.

Po trzecie – unikają ostentacyjnej logomanii, zauważyła, energicznie odpruwając metki ze wszystkich bluzeczek.

I po czwarte – białe Francuzki potrafią nosić torebkę: dokładnie siedem centymetrów od zgięcia łokciowego. W kierunku przegubu, oczywiście. Ramię uniesione pod kątem 30 stopni w stosunku do tułowia. Dłoń na wysokości prawego sutka. Najbardziej eleganckie panie wytrzymują w tej pozycji nawet dwie godziny. A skoro im się udaje, Szarlota nie może być gorsza. Przez następne tygodnie podejmowała kolejne próby, przypłacając swój upór rozległymi sińcami.

Być może doszłoby do kalectwa albo, kto wie, amputacji przedramienia, gdyby nie urlop w Nowym Jorku. Tam, ku uldze Dionizego, Szarlota zauważyła, że białe mieszkanki Manhattanu też potrafią nosić torebkę. Na ramieniu.

– A ponadto jest niezwykle ambitna. – Cicho westchnął.

– Pamiętamy: puzzle na dziewięć tysięcy kawałków. Chyba lubi plany wieloletnie.

– Stara się planować, ale uwzględnia pewien margines na nieprzewidziane zdarzenia. Dzięki temu nie panikuje w sytuacjach awaryjnych.

– Żeby zaplanować nieplanowane, to ci dopiero sztuka. – Brzytwa aż gwizdnęła. – A w gabinecie jak się zachowuje?

– Nie wybiega na powitanie klientek z okrzykiem: „jakie śliczniutkie kozaczki". Nie wciska drogich zabiegów, nie komentuje metod pracy personelu. Zarządza w sposób transparentny. Prawie jej nie widać, a jednak wszystko pozostaje pod kontrolą.

– Utrzymuje dystans?

– Nawet jeśli, nie daje tego odczuć nikomu. Żadnych protekcjonalnych uwag czy złośliwostek. Jest miła w naturalny, niewymuszony sposób.

– Profesjonalizm ful wypas – skwitowała Brzytwa. – A ma chociaż jedną wadę?

– Nawet kilka. Ale niegroźnych – dodał natychmiast. – Lubi układać przedmioty według wielkości albo koloru. Nic kłopotliwego, pod warunkiem, że porządkuje u nas w domu.

– A co układa?

– Podam ci przykład. Otóż w łazience mamy osobno komplet opakowań zielonych, osobno srebrzystych i lawendowych – wyjaśnił Fiotroń uświadamiając sobie nagle, że coś się jednak zmieniło. Wcześniej nie zwracał na to uwagi, ale teraz... tak! Już sobie przypomina. Wśród tubek lawendowych pojawił się dziwny czerwony słoiczek. Natomiast tubki zielone pomieszano ze srebrzystymi!

– A mówiłeś, że nie zdarzyło się nic nowego – wtrąciła Brzytwa, ożywiona. – Wezmę to pod uwagę. Co jeszcze sortuje?

– Co tylko może. Niestety również u znajomych. – Zagryzł usta. – Parę razy zdarzyło się, że poprzestawiała komuś kosmetyki w łazience. – Zwykle u Debeściaka. Na szczęście Lans zupełnie nie zwraca uwagi na takie rzeczy. Nie zauważyłby nawet ułożonych dookoła wanny butelek kefiru. Chyba że zaprojektowałby je Oscar de la Renta. – Wyrównuje też rozrzucone kapcie albo buty. I filiżanki, ustawia je uszkami w jedną stronę.

– A książki?

– Będąc z wizytą, nie wykracza poza salon i łazienkę, a biblioteczki... – No cóż, na razie czekają. Za rok, może dwa, kiedy nastąpi przesyt sosem pesto i klubami z selekcją, książki mogą stać się nowym hitem sezonu. Wtedy biblioteczki zapełnią pokoje dla gości. A Szarlota będzie miała pełne ręce roboty.

– Jakieś inne dziwactwa albo upierdliwości?

– Nie zauważyłem – odparł, zakłopotany. – Szarlota jest taka dyskretna. Ja wiem, że w małżeństwie trudno ukryć pewne sprawy...

– Wydaje mi się, że właśnie w małżeństwie można bardzo wiele upchnąć pod dywan. Z każdym rokiem pożycia coraz więcej.

– Szarlota nie znosi upychania. Jeśli sama nie radzi sobie ze sprzątaniem, zatrudnia profesjonalistów. Rok temu wybrała się nawet na terapię.

– Z jakiegoś konkretnego powodu?

– Chciała sobie lepiej radzić z własną wrażliwością.

– Zastanawiam się, kiedy na terapię będą chodzili ludzie obdarzeni słoniową skórą, a wrażliwość przestanie być stygmatem. Wyobrażasz to sobie? Kwadransowy peeling duszy, w pakiecie z pedikiurem SPA.

Może kiedyś, niechętnie przytaknął, zastanawiając się, czy podobna usługa ma szansę zdobyć szerszą popularność. Wiele, oczywiście, zależy od dobrego PR-u i właściwie przeprowadzonej kampanii reklamowej. Ale czy to wystarczy, by wykreować równie absurdalną potrzebę?

– Na razie wrażliwość uchodzi za kłopotliwy dodatek – przypomniał. – Coś jak zbyt krzykliwy szalik założony do eleganckiego trencza burberry Na szczęście Szarlota nie pozwala sobie na takie szaleństwo, trzymając nerwy na wodzy. – Nie pamiętam, żeby urządziła mi kiedykolwiek awanturę.

Inna sprawa, że Fiotroń jeszcze sobie nie zasłużył na pierwszorzędne przedstawienie. Rzadko wychodzi z kimś na piwo (brak chęci i zapewne możliwości), wraca zwykle o umówionej porze, uczestniczy w domowych obowiązkach i na ogół wywiązuje się z obietnic.

– Krytykuje cię czasem?

– Raczej ucieka w milczenie, co bywa bardzo męczące. Mam wrażenie, że nie lubi się zwierzać.

Wprawdzie wielu, umęczonych ciągłym ćwierkaniem mężów przywitałoby taką ciszę z dzikim entuzjazmem, ale Fiotronia coraz częściej niepokoi. Wchodząc do domu zawsze pyta: „jest tam kto?" Dopiero po zdjęciu butów słyszy cichutkie: „mhm". Jeszcze się nie zdarzyło, żeby Szarlota odezwała się pierwsza. Żeby rzuciła: „To ty?", „Jak było w pracy?" czy banalne: „Kupiłeś może chleb?". Poza tym najzwyczajniej w świecie brakuje mu zwierzeń. Niekiedy tęskni do tej chwili, kiedy Szarlota opowiedziała mu o swoich porażkach. Miejmy to już za sobą, oświadczyła wtedy, nerwowo obracając zaręczynowy pierścionek. W kwadrans wyrzuciła z siebie wszystko, co ją kiedyś bolało, by już nigdy nie wracać do tematu. Czy to znaczy, że uwolniła się od wspomnień raz na zawsze? Czy to tak można: zmieść stare traumy na szufelkę i wysypać do kosza? A może przechowuje je nadal, upchnięte w szkatułce z modeliny, ulepionej dawno temu na zajęciach z ZPT?

Nagle Fiotroń uświadomił sobie, że prawie wcale nie zna własnej żony. Oczywiście wie, do jakiej chodziła szkoły, w czym jej szczególnie do twarzy, gdzie trenuje mięśnie pośladków, co zdrowego jada na śniadanie i dokąd uwielbia jeździć na wakacje. Ale takie dane można znaleźć na portalu *nasza-klasa*. A przecież Szarlota jest kimś dużo, dużo bliższym niż znajomi z podstawówki. Czy aby na pewno?

– Nie lubi, a może nie potrafi – dodał. – Jest bardzo zamknięta w sobie.

– Brzmi jak opis kobiety samuraja. Na twoim miejscu sprawdziłabym, czy nie wiąże sobie nóg w kolanach.

Fiotroń zacisnął usta, urażony. Co innego, kiedy on krytykuje żonę, ma do tego święte, małżeńskie prawo. Ale obcym od Szarloty wara!

– Moja żona nie potrzebuje podobnych sztuczek. Trzyma kolana złączone, nawet kiedy siedzi na szezlongu, zatopiona w lekturze.

– Pewnie nigdy się nie garbi.

– Ma znakomitą postawę. W ogóle jest atrakcyjna i nie wygląda na swój wiek. Właściwie przez ostatnie dziesięć lat prawie się nie zmieniła.

– Zachowanie status quo wymaga ogromnych nakładów – zauważyła Brzytwa.

– I owszem. Pilates, dobry fryzjer, masaże, peelingi w gabinecie. Ale wszystko wygląda bardzo naturalnie – zapewnił. – Na przykład włosy. Sprawiają wrażenie, jakby czesał je wiatr.

– Domyślam się, że nie jest to halny. – Brzytwa uśmiechnęła się szeroko. – Trzeba przyznać, że bardzo się stara. Na ogół ludzie działają zrywami. No wiesz, idzie wiosna, zrzuć opony zimowe.

– Szarlota nigdy nie czeka na ostatnią chwilę.

– Wewnętrzny monitoring włączony przez całą dobę?

I znowu nie wiadomo: przytyk czy zwykła uwaga. Na wszelki wypadek Fiotroń dokonał sprostowania.

– Owszem, ma nad swoim ciałem pełną kontrolę. Wielu ludzi tego jej właśnie zazdrości. Coś jeszcze? – zapytał, widząc jej wahanie.

– Nie wiem, czy to ma jakieś znaczenie. – Brzytwa chwyciła zębami skórkę paznokcia. Okropny zwyczaj. – W sumie drobiazg, ale wierci w głowie. Twoja żona wkłada w tak zwaną konserwację mnóstwo pracy. I OK, jej wybór. Ale równie ciężko tyra, żeby ukryć, zatuszować cały swój wysiłek. Wszystko ma wyglądać jak najbardziej naturalnie. Choć nie jest. I to mnie właśnie niepokoi.

*

Dlatego Fiotroń ma zwiększyć ogólną, jak to ujęła, czujność. W tym celu dostał dyspensę na resztę wieczoru.

– Niech będzie odrobinę inny niż poprzednie – poleciła Brzytwa, odprowadzając Dionizego do auta. – Lekka zmiana kontekstu powinna ci ułatwić obserwację. Ale bez szaleństw – ostrzegła – żeby nie spłoszyć podejrzanej. I notuj wszystko, co ci zgrzyta.

– To znaczy? – Lepiej, żeby sprecyzowała owe zgrzyty, niż potem marudziła, że się nie wywiązał.

– Miny, gesty, nietypowe wtrącenia, dziwna intonacja, krzywo zapięta bluzka. Wszystko, co się gryzie z utrwalonym obrazkiem.

Niestety, wieczór minął bez rewelacji. Zjedli pyszne razowe canelloni z gorgonzolą, wypili pierwszorzędne chilijskie wino, wymieniając się uwagami na temat ostatniego filmu Allena. Potem Szarlota zdradziła Dionizemu dobrą nowinę. Otóż całkiem przypadkiem znalazła fantastyczną ofertę wczasów na Seszelach. Dwa tygodnie *all inclusive* w rewelacyjnie niskiej cenie. Nie zastanawiając się długo, zarezerwowała dwa miejsca, jak się okazało dwa ostatnie.

– Sprzątnęła je sprzed nosa jakiejś nieprzyjemnej damulce. Pewnie dlatego miała taki wyborny humor. Bardzo lubi wygrywać – wyjaśnił. – Cieszyła się jak dziecko.

– Zadziwiająca zmiana, zważywszy wcześniejsze nastroje – wtrąciła Brzytwa, zawiązując białą kiedyś sznurówkę.

– To naprawdę spora okazja. Dwa tygodnie w raju – zacytował słowa Szarloty. – Po promocyjnej cenie.

– Dziwne, że chce jechać razem z tobą. Wiele kobiet szuka raczej okazji, żeby się urwać z kochankiem.

– Może chce zadbać o alibi.

Spotkali się przed kwadransem, tym razem przy placu Serkowskiego (intymna atmosfera bez niesmacznych niespodzianek). Fiotroń zdał relację z poprzedniego wieczoru, minuta po minucie. Wysłuchała w skupieniu, nie zadając żadnych pytań.

– Myślę, że to ostatni moment, żeby szczerze pogadać – odezwała się wreszcie. – Za chwilę będzie po zawodach.

– Jak to sobie wyobrażasz – denerwował się Fiotroń. – Że podejdę do Szarloty, podam jej kawę i zapytam: „Czy ty aby, kochanie, nie przechodzisz ostatnio kryzysu?” – Równie dobrze mógłby spytać własną matkę, gdzie kupuje pornografię.

– Chyba rozmawiacie ze sobą, nie tylko o cenie szparagów?

– Oczywiście że rozmawiamy, na wiele tematów, ale bez przekraczania pewnych granic.

– Poruszacie się po ubitych ścieżkach.

– Możesz to nazwać, jak chcesz!

– Ja bym jednak zeszła z traktu. To ostatni moment – powtórzyła z naciskiem. – Ale decyzja należy do ciebie.

– Do ciebie zaś należy rozwiązanie tej sprawy w siedem dni – przypomniał rozsierdzony. – Zostały jeszcze trzy, nie licząc dzisiejszego.

– Dostaniesz rozwiązanie, bez obaw. A na razie zapraszam do siebie.

*

– Strasznie to dziwne – gderał Fiotroń, wchodząc do ciemnego przedpokoju. – Trzeba spełnić tyle warunków, żeby cię w ogóle spotkać, a już czwartego dnia znajomości wpuszczasz mnie do swojego domu? Szybciej niż na amerykańskim filmie. – Pod warunkiem, oczywiście, że nie jest to film erotyczny.

– Bez przesady. To tylko mieszkanie! Wynajęte od osoby niestabilnej emocjonalnie, co oznacza, że w każdej chwili mogę się spodziewać eksmisji. Połowę rzeczy nadal trzymam w pudłach.

Wskazała trzy średniej wielkości pakunki, ustawione we wnęce pod oknem. Fiotroń chętnie by zapytał, co w nich chowa, ale zabrakło mu śmiałości.

– Bardzo tu pusto – ocenił, rozejrzawszy się po ogromnym pokoju.

Pusto, a jednocześnie zagracone. Jak to możliwe? Przecież prawie nie ma mebli. Stolik przerobiony z singerowskiej maszyny (typowo krakowskie rozwiązanie), drewniane gięte krzesło, zakopiański rzeźbiony kufer, przedwojenna witrynka (spodobałaby się Szarlocie), zapadnięty tapczanik rodem z internatu, półka ze smętną paprotką. Pod oknem krzesło. I trzy pudła, a na nich czwarte – zdezelowanego samsunga. Więc skąd wrażenie bałaganu? – zastanawiał się Fiotroń. Ach, już wie. Po pierwsze źle zagospodarowana przestrzeń. Po drugie fatalny dobór sprzętów. Tapczan nie pasuje do witrynki. Stół do kufra. Krzesła – każde z innej parafii. Prawdziwy miszmasz. Spotykał już podobnie urządzone wnętrza w krakowskich kawiarniach. Jakby ktoś zebrał resztki z opuszczonych kamienic i beztrosko je rozrzucił po całej sali, a na koniec ozdobił stoliki świeczkami z parafiny. Bardzo pretensjonalne, można nawet rzec, artystowskie, Fiotroń zaś preferuje nowoczesny, warszawski design. Proste skórzane sofy, metalowe lady, futuryzm i minimalizm. Żadnych zbędnych detali i ozdób. Tu też nie ma ich zbyt wiele, przyznał, ale za to rozkład – pełne szaleństwo! Nigdy nie zrozumie, czym kierował się dekorator ścian.

– Szeroko pojętą estetyką – wyjaśniła Brzytwa. – Chciał poukrywać plamy brudu i grzyba. A ponadto zamaskować porwane tapety.

– Straszne. Jak znosisz taki brak...

– Niby czego?

– Wszystkiego co ważne! – zirytował się Fiotroń. – Ładu, porządku, bezpieczeństwa.

– Ależ ja się czuję bezpiecznie. Nie potrzeba mi do tego dożywotniej klatki na osiedlu Piaski Nowe, wyposażonej w kolby kukurydzy i błyszczącą huśtawkę.

– A własne miejsce pod słońcem?

– Mam, kilka naraz.

– Myślałem, że miejsce jest tylko jedno.

– Ten sam pokój z widokiem na krzak bzu? Wspaniała perspektywa, doprawdy. Nie żebym miała coś do krzaków bzu. – Spoważniała. – Uwielbiam, zwłaszcza dzikie, ale to słynne własne miejsce pod słońcem jest dla mnie taką samą ściemą, jak jedynie słuszna autostrada przeznaczenia, którą koniecznie trzeba odnaleźć spośród dróg wielu, a potem trzymać się jej wiernie, aż do usranej śmierci. Jeśli komuś to pasuje, niech się trzyma, ja wolę czasem połazić po łące. Tak jak wolę mieć kilka różnych miejsc zamiast jednego.

– A ja lubię swój pokój z widokiem na krzak bzu – usłyszeli nagle zza ściany. – Od trzydziestu lat daje mi złudzenie, że czas stoi w miejscu, a świat nie pędzi ku gorszemu, jak przekonują w tefałenie.

– Każdy potrzebuje bajek, inaczej zwariowalibyśmy z bólu.

– Kto to? – zainteresował się Fiotroń.

– Beret, sąsiad i anioł stróż, zza ściany. Żeśmy się już poznali.

– Oczywiście. Bardzo mi miło.

– Mi... również – odwzajemnił się Beret, z pewną niechęcią, natychmiast wracając do autoprezentacji. – A poza tym jestem wielbicielem krzaków bzu, policjantem i porannym budzikiem kochanej Matki Polki.

– Dodam, budzikiem niezwykle skutecznym. Pięć po ósmej zapodaje trzy te same piosenki Gorillaz albo Manu Chao. Na cały regulator.

– I ty nie reagujesz?

– Jak to, nie? Wstaję w połowie drugiego kawałka.

– Przedtem rzucając laczkiem o naszą ścianę – wyjawił Beret, rozgoryczony.

– Oburzające!

– No właśnie! – skwapliwie zgodził się Beret.

– Dlaczego? – zainteresowała się Polka.

– Przecież ktoś ci narzuca swoją muzykę.

– Ja bardzo lubię Gorillaz.

– Ale wpełza w twoją przestrzeń, budząc cię wedle swojego widzimisię.

– A ty zawsze śpisz do woli? Bez budzików i takich tam przeszkadzajek?

– Oczywiście, że nie! Wstaję do pracy, na ósmą, ale to zupełnie co innego.

– Więc o twoim śnie decyduje szef. A o moim sąsiad. I to jedyna różnica.

– Mój szef ma większe prawo, żeby mnie budzić.

– Ciekawe, czemu – zainteresował się Beret.

– Choćby dlatego, że jest moim pracodawcą.

– No i?

– I płaci mi za to – wypalił Fiotroń. – W dodatku niemało.

– Więc o twoim życiu decydują ci, którzy płacą. To sporo wyjaśnia. Herbatki?

Nachmurzony odmówił, prosząc, by skupili się na celu wizyty.

– Już się robi. Babcia jest u siebie? – zapytała Bereta.

– Niestety, wyjechała do Miechowa, poplotkować z moją matką. Pewnie znowu będą mnie swatać z okolicznymi kamienicami. Byś się wreszcie określiła i miałbym spokój. No to jak? – Wychylił się przez swoją połowę okna, zaglądając Brzytwie do pokoju. – Dajemy na zapowiedzi?

– A kiedy wróci? – Zignorowała propozycję.

– We wtorek rano; w sam raz na powtórkę *Mody na sukces*. Pilnuje tej *Mody* jak własnej szczęki. Gdyby przepuściła choć jeden odcinek...

Beret umilkł, usiłując sobie wyobrazić straszliwe konsekwencje takiej absencji. Przerażony, natychmiast przywołał wyobraźnię do porządku. I zmienił temat.

– Ciekaw jestem, jak ona to archiwizuje. Te wszystkie odcinki. Bo na przykład nasze rozmowy wycina zaraz po, a bywa, że i w trakcie. Widać nie jestem taki atrakcyjny jak Eryk Forrester.

– Jesteś tylko jej wnukiem; nie musi się starać. W takim razie – zwróciła się do Fiotronia – zmiana planów. Gdzie byś chciał pójść? Może do kościoła?

– Żartujesz.

– Dlaczego? Przecież mamy niedzielę, jeden z nielicznych dni, kiedy można obejrzeć najfajniejsze ołtarze. Posiedzimy, podumamy, a przy okazji możemy się pomodlić o dobre zakończenie sprawy.

– Pomodlić?

Fiotroń nawet nie wiedziałby, jak zacząć. „W Imię Ojca i Syna" jest za bardzo formalne. „Dzień dobry" – bez sensu; skoro Bóg istnieje poza czasem. „Cześć, Stary" – nawet jemu wydaje się zbyt poufałe. Co innego ignorować Jego obecność, a co innego pozwolić sobie na tak daleko posuniętą bezceremonialność.

– Jesteś niewierzący?

– Ależ skąd!

Po prostu nie ma żadnych refleksji na temat wiary. Nie zawraca sobie głowy, Jemu również, przynajmniej na razie. Świetnie się trzyma, nie łysieje, ma poczucie kontroli nad jądrami i własnym losem, większej kariery już nie zrobi i wcale o niej nie marzy. O wielkich pieniądzach również. Wygrana w Totolotka niepotrzebnie skomplikowałaby mu życie. Więc o co tu prosić? Mógłby podziękować, ale uważa, że wszystko co zdobył, zawdzięcza sobie, ewentualnie najbliższym. Ciężka praca, żadne tam cuda. Gdyby na nie czekał, leżąc do góry brzuchem, dorobiłby się wyłącznie mięśnia piwnego. A tak, proszę bardzo: sportowa sylwetka, apartament w Krakowie, prawie nowe mondeo, zaawansowane prace nad habilitacją... Nagle odechciało mu się wymieniać. Szarlota ma rację, podsumowania zwykle wpędzają w zły nastrój, choćbyś dorobił się wielu wspaniałości. Więc Dionizy ujmie swoje osiągnięcia następująco: dzięki sobie i ewentualnie najbliższym wiedzie bardzo komfortowe życie. Radzi sobie z codziennością, znajduje czas na przyjemności, nie zapomina przy tym o rozwoju duchowym. Zwykle łączy go z pracą nad ciałem, ale czasami eksperymentuje, zapisując się na rozmaite kursy. Ostatnio, na przykład, zaliczył warsztat radykalnego wybaczania (sobie) i zastanawia się nad rytuałem oczyszczenia ciała astralnego (podobno przy okazji poprawia się jakość cery). Próbował też medytować, ale natychmiast zapadł w drzemkę i zrażony żarcikami prowadzącego wypisał się z kursu. Może kiedyś zrobi drugie podejście, na razie stawia na bardziej dynamiczne zajęcia. I dobre lektury. Zimą przekartkował *Modlitwę żaby* de Mello. Krzepiące, ale nie zostaje w człowieku dłużej niż sałatka owocowa, Dionizy zajrzał więc do cięższego gatunkowo Kena Wilbera. Niestety zniechęcił go proponowany przez mistrza wzorzec męskości: imponująca siła fizyczna, przebojowość, mobilność, agresja i większe niż u kobiet predyspozycje do... pasania bydła. Już woli podczytywać dzieła buddyjskich mnichów. Choć niektóre proponowane przez nich ćwiczenia są dla Dionizego niewykonalne. Żeby skupiał się przez okrągły rok, nie ogarnie współczuciem całego świata. Nie potrafi nawet współczuć samemu sobie, ale kiedyś to zmieni. Jak tylko skończy trzeci stopień pływania kraulem. I powiesi w gabinecie nowe zasłony.

A czy Fiotroń pamięta o innych? Oczywiście! Raz w tygodniu dzwoni do matki, pozwalając jej się wyżalić na starsze rodzeństwo albo panią Franię, sprzedawczynię z naprzeciwka. Wysyła siostrom i krewnym piękne kartki na święta, wymyślając co roku inne życzenia. Oddaje jeden procent swojego podatku na wybraną organizację pożytku publicznego. Czasem zlituje się nad bezdomnym, odpalając mu parę groszy. No i bywa bardzo uprzejmy, także dla nieznajomych. Przytrzyma ciężkie drzwi, pomoże wtaszczyć zakupy na górę, pierwszy mówi „dzień dobry". A to wszystko całkiem bezinteresownie. Fiotroń nie oczekuje żadnej gratyfikacji, zwłaszcza po tamtej stronie. Może kiedyś pomyśli o założeniu niebiańskiego konta, teraz woli inwestycje przynoszące szybsze i pewniejsze zyski.

Raz jednak dokonał przewartościowania. Pięć lat temu, kiedy nagle umarł mu ojciec. Po pierwszym wstrząsie Fiotroń postanowił odmienić swoje życie. Mniej konsumpcji i pogoni za drobiazgami, oznajmił, stojąc przed lustrem. Więcej dobrych relacji ze światem. I szeroko pojęta równowaga. Codziennie pędził na cmentarz, żeby wyznać ojcu to, czego nie zdążył przez ponad trzydzieści lat. Zaczął się nawet modlić. Nie o siebie, ale o niego. Żeby tato już się nie męczył gderaniem i wreszcie odnalazł radość. Albo chociaż święty spokój. Pewnej bezsennej nocy, po czterech piwach obiecał (sam już nie wie, komu), że nie rozmieni swojego życia na drobne. Odnajdzie prawdziwe pasje, emocje, namiętności. Będzie żyć, a nie jeść, pić i realizować kolejne zadania.

Po roku wszystko wróciło do normy. Fiotroń znów szatkował tydzień na drobne cząstki, którymi łatwiej było zarządzać. I zapomniał o złożonej po czterech piwach obietnicy.

– Nie mam potrzeby praktykowania – wyznał wreszcie.

Nagle z kuchni rozległ się przeraźliwy wrzask.

– Ty wałkoniu – usłyszeli – bierz się za ziemniaki, bo ci nogi z dupy powyrywam!

– Litości! – wycharczał wałkoń. – I wody!

– Ja ci dam wódę. Wczoraj była i przedwczoraj. A dziś ziemniaki. Obieraj mówię, bo obiadu nie będzie.

– Nie jestem głodny.

– Ja też trawę mogę jeść, ale dzieci mi nie zmarnujesz! Jeszcześmy nie upadli tak nisko, żeby w niedzielę nie było drugiego dania. Czemu grubo obierasz?

– Bo nóż tępy – bronił się wałkoń.

– Sam jesteś tępy. Masz tu inny i do roboty, bo bez
łeb tak zdzielę, że ci resztki mózgu uszami wylecą.

– Boże, co to jest? – Fiotroń zwrócił się do Brzytwy.

– Świat według Kiepskich na żywo.

– Ale przecież ona mu zrobi krzywdę!

– Co niedzielę mu robi. A on jej oddaje zawczasu
w piątek i sobotę. Se la wi.

– Potworność!

– Ciebie nigdy nie dopadła niedzielna wścieklica?

Wścieklica? Nie pamięta nawet, żeby się porządnie
pokłócił z żoną! Różnice zdań owszem, drobne sprzeczki także, ale nie burdy. Tylko raz Szarlota dostała ata-
ku spazmów, tuż po pogrzebie ojca. Fiotroń uznał, że to
wstrząs wywołany żałobą i żeby nie zadrażniać sytuacji,
wyszedł na długi spacer.

– Przecież wszystko można rozwiązać w cywilizowany sposób – ciągnął. Albo odłożyć na później. – A nie
tak, po chamsku.

– Byłoby jeszcze gorzej, gdyby zamknięto supermar-
kety. Tłukliby się już po sumie.

– Sądziłem, że kościół rozładowuje podobne napięcia.

– Skoro o kościele mowa – podjęła Brzytwa, zamykając kuchenne okno – msza, jak mniemam odpada.
Więc zostaje nam targ na „Żydzie" albo stare śrubki na
Grzegórzkach. Ewentualnie bronowicka giełda. Zawsze
tam jeżdżę, kiedy chcę sobie przypomnieć, jak wygląda

świat, w którym rządzi nikotyna i skondensowany te-
stosteron.

– A co byś wolała?

– Szmaty. Potrzebuję nowych przeciwsłonecznych
okularów, bo znowu zgubiłam, a tylko tam oferują in-
teresujące mnie fasony i marki.

– To chodźmy – zdecydował Fiotroń, obrzucając
uważnym wzrokiem niedzielny strój Brzytwy.

Podkoszulek, wyszperany w lumpeksie, przykurzo-
ne tenisówki i dżinsowa mini bezlitośnie odsłaniająca
posiniaczone na kolanach, krzywe nogi. Nigdy by nie
podejrzewał, że pod takim przebraniem kryje się wy-
rafinowana łowczyni metek. Oczywiście zawsze można się pomylić. Wśród jego znajomych, na przykład,
jest paru, którzy sprawiają wrażenie zblazowanych ab-
negatów. Ale wystarczy dobrze im się przyjrzeć, by się
przekonać, że spodnie zaprojektowano na katamara-
nie u wielkiego Giorgio, wymięty kaszkiet uszył Paul
Smith, a bluzę porwał nożem sam mistrz Yamamoto.
Dla pewności poddał ubiór Brzytwy ponownej ocenie.
Nie, to jednak nie ten przypadek, stwierdził, dostrzegając na spódnicy napis: „Chanele", a zamiast charakte-
rystycznego znaczka, dwa wyszyte złotą nitką rogaliki.
Karl Lagerfeld dostałby apopleksji.

– Nie tylko Karl. – Wskazała palcem ogromne plastikowe okulary. – Calvin Klein również. A tu, proszę:
Diorr. Christianowi jest już chyba wszystko jedno. A zo-

bacz, co zrobili z Niną Ricci. Nena Rici, perełka! – zachwycała się Brzytwa. – Biorę, będzie mi pasowała do torby od Gusaciego i butów od Pravdy.

Fiotroń nie krył oburzenia.

– Kupujesz podróbki, robione taśmowo w Chinach.

– Podobnie jak oryginały. – Wskazała palcem plastikowe koszmary. – Będą za trzydzieści? Świetnie! Płacę!

– Ale przecież to okradanie!

– Kogo? Ludzi, którzy wzbogacili się, łupiąc najsłabszych? – parsknęła, kładąc trzy banknoty na kolebiącym się turystycznym stoliku. – Podam ci przykład. Wyobraź sobie chińską fabrykę produkującą buty sportowe dla amerykańskiego koncernu. Wiesz, ile lat musieliby pracować jej robotnicy, żeby zarobić tyle co prezes firmy w jeden, powtarzam, jeden marny roczek? Jakieś propozycje? Słucham?

– Nie będę strzelał.

– I słusznie, bo nawet byś nie trafił w pobliże tarczy, mój drogi. Cztery i pół tysiąca lat. A wiesz, jaki procent zysku firmy Nike jest przeznaczany na wypłaty dla indonezyjskich robotników? No zgadnij. Dziesięć, piętnaście? A może siedem? – Fiotroń potrząsnął głową – Trzy! Raz, dwa, trzy. Reszta idzie na pensje zarządu, kontrakty reklamowe Tigera Woodsa i wypasione klipy. Podobnie jest z innymi kolosami szyjącymi markowe badziewie.

– Niemożliwe – wypalił Fiotroń, uświadamiając sobie, że tej wiosny sponsorował klip Adidasa. Świadomość, że przyczynił się do nakręcenia reklamy na najwyższym światowym poziomie, jakoś nie poprawiła mu humoru.

– Też tak sądziłam, dopóki Beret nie ściągnął mi danych z sieci. Trzy procent stary, ani ciut więcej. Podać ci inne przykłady legalnego złodziejstwa?

Podniósł dłoń na znak, że tyle mu wystarczy.

– Nie musisz od razu kupować podróbek – odezwał się po chwili, patrząc z wyrzutem na okulary.

– Kupuję tylko to, czego nie da się zrobić samemu. Resztę szyje mi chrzestna, ozdabiając odpowiednim znakiem firmowym. Ostatnio machnęła nam obojgu takie kurtki, że koniec świata. Gdyby zobaczyła je Donatella Versace, przestałaby się uśmiechać po raz pierwszy od czasów wojny w Wietnamie.

– Ale to strasznie...

– Obciachowe? Zaręczam ci, że moja kurtka jest mniej tandetna niż produkcje Donatelli.

Przygryzł usta, zastanawiając się, czy warto wyskakiwać ze szczerymi opiniami. Fiotroń rozumie, że piękno bywa pojęciem bardzo elastycznym, ale czym innym jest bluza z organicznych konopi, ozdobiona antykorporacyjnym hasłem (nawet jeśli wyprodukowano ją w ogromnej tajwańskiej fabryce), a czym innym wydziergane w domu paskudztwo. Spódnica Brzytwy nie dorównuje wprawdzie ohydnym wełnianym kamizelkom jego świętej pamięci dziadka, ale jest brzydka jak diabeł tasmański. I jeszcze okulary! Jak mawia Debeściak, kicz do potęgi entej!

– Nie ma w tym za grosz elegancji – odezwał się wreszcie, zdruzgotany.

– Zdradzę ci straszną prawdę o Matce Polce. – Wspięła się na czubki palców, zbliżając usta do Fiotroniowego ucha: – Elegancja jej zupełnie nie interesuje.

– Po co to robisz? – jęknął Fiotroń, obserwując jak przymierza zielonkawy kapelusz, wytłoczony w wytwórni J.eLO.

– A jak myślisz, dlaczego ludzie szydzą? Ze szczęścia? No i jak wyglądam? – Przechyliła głowę niczym gwiazda gangsta rap. – Wystarczająco obciachowo? A może ty sobie sprawisz jakiś gadżet? Ożywiłby tę przygnębiającą monotonię.

– Monotonię? – Przecież ma na sobie co najmniej pięć różnych marek!

– No ba! Wyglądasz jak trendsetter w pełnym rynsztunku wyruszający na sobotni podbój knajp. W każdej spędza kwadransik, niewerbalnie ogłaszając bywalcom, co będzie najmodniejsze za siedemdziesiąt dwie godziny. Nawet twoje skarpetki krzyczą: „Ludzie, patrzcie, podziwiajcie i lećcie do galerii! Za tydzień może być za późno!"

– Przesadzasz – mruknął, z trudem ukrywając zadowolenie. W jego otoczeniu jest tylu odstawionych facetów, że Fiotroń nawet nie usiłuje im dorównać. Po co sobie psuć do reszty humor? A już wyznaczanie nowych trendów? Nie marzyłby o tym, nawet gdyby umiał marzyć.

– Przesadzam? Jesteś żywym billboardem z kolekcją na lato. Takie miodzio, że aż mdli. Dlatego radzę ci ożywić tę jednolitą zbroję kaszkietem od Kenzu. – Wcisnęła mu do ręki kraciastego potworka z nierówno przyciętym daszkiem. – Byłby niczym listek świeżej mięty w ogromnym pucharze waniliowych lodów.

– Nie noszę tandety – wycedził Fiotroń, trzymając kaszkiet koniuszkami palców.

– Czy ja dobrze słyszałam? TANDETY? – uniosła się właścicielka stoiska, zwalista blondyna z gatunku tych, którym niemieckie domy zawdzięczają słynną czystość. A nierzadko rozpad małżeństwa. Mocny tapir, złote kolczyki, jasna dżinsowa kurtka inkrustowana kryształkami, w talii zaś kraciasta nera na gotówkę.

– Oferuję najlepsze nakrycia głowy na wschód od Berlina. Pan śmiesz je nazywać tandetą? Bezczelność, a nawet chamstwo szyte grubymi nićmi!

– I po co się tak unosić – uspokajała ją Brzytwa.

– Po co? Po co? Przyjdą tacy, wymiędlą towar i jeszcze podśmiechujki sobie robią! Basta!

Blondyna palnęła pięścią w stolik, wzniecając popłoch wśród własnych beretów. Dwa w panice wyskoczyły aż na chodnik.

– I jeszcze towar mi się marnuje przez takiego! Proszę mnie oddać ten kaszkiecik! Ale już!

– Z dziką przyjemnością! – Najchętniej prasnąłby nim o ziemię. Ale wbrew inwektywom, nie jest chamem. Więc po prostu odłoży kaszkiet na stolik, okazując handlarze bezgraniczną pogardę.

– I kapelusz również! – zwróciła się do Brzytwy.

– Myślałam, że go sobie sprawię.

– To się pani przemyślała – warknęła blondyna. – Nie dla psa kiełbasa! Do mnie damy przyjeżdżają aż z Dębników i każda jedna zadowolona z transakcji! Bo wie, co to gust i smak! – Wyciągnęła dłoń w oczekiwaniu.

– Pani się marnuje w takim miejscu! – oznajmiła Brzytwa, oddając kapelusz. – Absolutna strata czasu. Powinna pani pracować jako asystentka Donatelli Versace. Ten sam szyk, wrażliwość i kultura.

Baba przymrużyła oczy, nieufnie ważąc słowa Brzytwy. Niby komplement, ale coś tu niehalo. Żeby chociaż wiedziała, kim jest ta cała Donatela. Nazwisko kojarzy, twarzy już zupełnie.

– Niech mnie pochwałami oczu nie mydli – odparła, tasując w myślach fotki z przeczytanych ostatnio brukowców.

– Pochwałami? – Brzytwa parsknęła. – Mówię szczerze jak na spowiedzi w trzeciej klasie. Proszę koniecznie wysłać Donatelli podanie o angaż. Na pewno panią przyjmie jak własną siostrę. Do widzenia!

Odeszli zaledwie parę kroków, kiedy ich uszu dopadły dzikie wrzaski.

– Ja ci dam Donatellę, flądro jedna! Będzie mnie tu do lampucer porównywać! A sama jak wygląda: straszydło na pajęczych nogach! Z łapami jak podolski złodziej! Won mi z targowiska! Żebym więcej nie widziała, bo milicję zawołam!

– Chyba rozgryzła tajemnicę – skwitowała Brzytwa, zupełnie nie przejęta wyzwiskami. – Co się tak patrzysz?

– Ludzie są okrutni.

– Przede wszystkim leniwi. Uderzają w to, co najbardziej widoczne. A boli zupełnie gdzie indziej.

– Straszny typ.

– Pospolity. Na Grzegórzkach, na przykład, stoi buc handlujący pomidorami. Spróbuj dotknąć palcem, a dopiero usłyszysz wiązankę. Jakby mógł, to by walił po rękach.

– I ludzie u niego kupują? Nie rozumiem.

– A czemu łażą do knajp z ostrą selekcją, czemu biorą udział w poniżających castingach? Może lubią być poniewierani. Zresztą powiedzmy sobie szczerze, kobita miała powód się spienić. Nazwałeś jej towar tandetą.

Ja się natrząsałam, porównując do królowej odzieżowego italo disco. A może ona wcale nie chce tak zarabiać? Może wolałaby śpiewać w filharmonii, a my jej przypomnieliśmy, że stoi na targowisku, z tanimi podróbami. Musiało babkę zakłuć. Człowiek nie ryczy ot tak, bez powodu.

– Ale przecież cię obraziła.

– Ona mnie, ja ją, czyli remis.

– No nie wiem. Takie wyzwiska, na pół rynku?

– Mam wrócić i nasikać jej do czapki? Daj spokój. Tylko kapelusza mi szkoda, bo był naprawdę wyczesany. Wątpię, czy te od Lopez mają równie dobry materiał. A z drugiej strony, to jednak nie mój styl. – Przyjrzała się swoim posiniaczonym nogom. – Nie, zdecydowanie do mnie nie pasuje. Co innego do mojej siostry. Ta nosi kapelusze nawet pod prysznicem.

Siostra? Brzytwa nic mu nie wspominała o siostrze. Ale przecież on też jej nie mówi o swoim rodzeństwie robiącym karierę na antypodach.

– Idziemy pooglądać stoiska z próbkami – zaproponowała Brzytwa. – Patrz, jaki perfum! Mucha nie siada!

– Perfumy chyba – poprawił ją Fiotroń.

– Perfumy to stoją w Sephorze albo w Galerii Centrum. A tu masz perfum. Znakomity, wydajny i ekstra mocny, bo testerowy. Psiknąć raz i trzyma tydzień. A przy tym o połowę tańszy niż w sklepie. I prawie nie ruszany, tyle co do sprawdzenia spreja. Czysta okazja!

– Przepraszam – usłyszeli z boku. – Szukam próbki, ale zapomniałam nazwy. Obi? Odi? Mocna taka woda, z korzeniami.

– Może kenzo? – usiłował podpowiedzieć sprzedawca.

– Kenzo też wezmę, dla wnuka. Do liceum poszedł prywatnego i strasznie wybrzydza z zapachami. Zwykłe nivea to dla niego za mało. Więc kenzo bym wzięła, za piątaka, tak? A dla mnie to obi, czy jak tam się nazywa.

– A butelkę pani pamięta?

– Nie bardzo, bo ja tylko próbki kupuję – zdradziła kobieta, nieco zawstydzona. – Z jednej emerytury to wiele człowiek nie wyczaruje. A ja jeszcze po zawale jestem, drogie leki biorę. Czynsz mi znowu podnieśli. Szkoda gadać, bo tu każdy jakiś kamień dźwiga. Pan pewnie tak samo.

– Jak wszyscy – westchnął sprzedawca, zastanawiając się, co mu ciąży ostatnio najbardziej, marny utarg, kłótnie z synem czy otłuszczona wątroba. – Ale martwić się tym nie będziemy, szkoda czasu na głupoty. Spróbujemy zgadnąć co to za woda. Mocny zapach, mówi pani?

– Aż w głowie kręci. A bogaty! Wszystkiego tam naładowano. I korzeni, i pieprzu, i słodkości orientalnych.

– Opium? – zaryzykowała Brzytwa.

– O, to to właśnie! Dziękuję! Aż mi ulżyło. To ja bym prosiła jedną próbkę. Albo nawet dwie.

– Mam tylko piętnastki testerowe, za cztery dychy każda.

– Cztery dychy pan mówi – zmartwiła się kobieta.

– Taniej już nigdzie nie ma.

– Ja wiem, wiem, ale uhandlowałam dziś ledwie na dwa precle i gazetę. O – pokazała okładkę „Życia gwiazd". – Człowiek poogląda tych, co im się w życiu bardziej udało i już mu jakoś tak raźniej na duszy. Ale potem na rynku w spiekocie stoi i znowu sobie przypomina o ciężkim losie. O tym, że łatwiej coś wyprodukować niż sprzedać. Nadprodukcja wszystkiego.

– Kolejna mała tragedia – szepnęła Brzytwa, wycofując się z Dionizym w stronę kawiarni Kolory. – A u mojej siostry litrowe opium wietrzeje w łazience dla gości.

– Naprawdę masz siostrę?

– Przecież mówiłam, że mój ojciec wiódł bardzo swawolne życie. Co zaowocowało dziesiątkami sióstr i braci. Na ogół z różnych matek.

– Można powiedzieć, że ma mu kto pracować na emeryturę.

– W praktyce wygląda to nieco inaczej. Jego emerytura jest żałośnie niska.

– Znasz ich?

– Kiedyś miałam taki plan, żeby odszukać tych z Europy. Nie byłoby tak trudno. Każdy nazywa się Stefan albo Stefania. Stary nie chciał, żeby mu się myliły imiona.

– A nazwisko?

– Po ojcu. Nie wszędzie kutas źle się kojarzy.

– Skoro każda dziewczynka nazywa się Stefania – podjął Fiotroń, z podejrzliwością w głosie – to dlaczego ty masz na imię Pola?

– Bo imię Stefania nosi moja siostra bliźniaczka. Ta od kapeluszy i opium.

– Bliźniaczka? – Fiotroń poczuł niepokój. – Jednojajowa?

– Chodzi ci o podobieństwo? – Brzytwa domyśliła się natychmiast. – Fizyczne to wiadomo: różnimy się tylko pieprzykiem. Ona ma pod pachą jeden, a ja żadnego. A może jest odwrotnie? – Odchyliła rękawek, usiłując sprawdzić. – Ty, ale by były jaja, gdyby się okazało, że ja to Stefa, a ona jest mną.

Fiotroniowi nie było do śmiechu.

– To tylko żart, chłopie! – uspokoiła go natychmiast. – Do tego głupi jak but z mojej lewej nogi. Nawet jeśli pomylono nas po urodzeniu, teraz to już bez znaczenia. Ja jestem Matka Polka z fatalną przeszłością, a ona Stefania Kozak-Krassnodębska, wytworna pani na ogrodach.

– Naprawdę tak się różnicie?

– Począwszy od opakowania, a skończywszy na stylu życia.

– Mieszka w Krakowie?

– Nie, z rodzicami w tak zwanym bliźniaku. Żyje dokładnie tak, jak sobie wymarzyli. Dom z porządną podmurówką. I z osobnymi wejściami, żeby zapobiec konfliktom. Stała pensja na państwowym, robotny chłop z rozruszanym interesem, dwoje jasnowłosych, łatwych w obsłudze dzieci. I oczywiście kapelusze. Na każdą okazję. Można powiedzieć, że Stefa zrealizowała plan rodziców w dwustu procentach. Dzięki temu ja mogę robić, co mi się żywnie podoba. Wolność zapasowej kopii – rzuciła Brzytwa, robiąc taką minę, że Fiotroń sam już nie wiedział: skarży się czy żartuje.

I tak ciągle. Każda uwaga kryje podwójne dno, a człowiek nie wie, jak reagować. Już się cieszy, nagle dostrzega ukryty wcześniej cień. Jakby nie można było wyrażać się jaśniej, zrzędził w myślach Dionizy. Nie chodzi o uproszczenie, ale o pewną przejrzystość. Żeby żart był żartem, a skarga skargą. Za to właśnie tak ceni żonę. Jeśli Szarlota zdecyduje się zabrać głos, jest niezwykle precyzyjna. Żadnych podtekstów, ukrytych szpilek czy irytującego mrugania okiem. Inna sprawa, że tak rzadko ze sobą rozmawiają. W tym tygodniu, na przykład, wymienili może dziesięć zdań, nie licząc wczorajszej kolacji. Na razie Fiotroń taką sytuację toleruje, ale później będą musieli się rozmówić. Może nawet raz na zawsze, jeśli zdobędzie pewność w wiadomej sprawie.

Znowu poczuł, że nie może złapać tchu. „Raz na zawsze". A co potem? Jak powiadomi znajomych? W jego kręgu akceptuje się najbardziej przykre zdarzenia, pod warunkiem, że je uwzględniono w życiowych planach. Że nie były zaskoczeniem. „Od początku zakładałem, że zdam egzamin na prawko za trzecim podejściem. Oblana wcale mnie nie martwi". „Złapałam anginę, świetnie. Chciałam zimą trochę poleniuchować i proszę! Mówisz, masz!" „Zwolnienie? Było mi potrzebne, żeby dojrzeć do awansu". Cóż, będzie musiał sporo się nagłówkować, żeby odpowiednio przedstawić nagie fakty.

Ale to już po pierwszej rozprawie, postanowił Dionizy, drepcząc za Brzytwą.

– Usiądziemy przy szachownicach – oznajmiła – i spiszemy wszystko, co zaobserwowałeś. Żebyś miał jakiś klar.

– Bardzo by się przydał. Nam obojgu – podkreślił, nie bez złośliwości.

– A potem urządzimy sobie miejskie frikowisko – ciągnęła, ignorując zaczepkę. – Czyli popołudnie za darmochę.

– Mamy się wciskać na promocyjny bankiet?

– Niekoniecznie bankiet, ale na przykład – zastanawiała się przez chwilę – spotkanie niespełnionych literatów. To jest myśl! Wieczór grafomanii przy zwietrzałej kawie i ciasteczkach z niespodzianką. Jak dla mnie bomba! Ale nie. – Rozmyśliła się nagle. – Nie będę ci fundować stresów po wczorajszej paradzie.

– Stresów? – zdziwił się Fiotroń. Chyba przy nadgryzaniu ciasteczek.

– Nawet nie wiesz, co się tam dzieje, chłopie. Emocje jak na finałowym odcinku „Tańca z gwiazdami". Mogłabym ci wiele poopowiadać.

Fiotroń nie okazał zainteresowania. Gdyby chodziło o noblistów albo Normana Davisa, chętnie by się wybrał, choćby po autograf. Ale obserwować zacietrzewionych frustratów, którzy od trzydziestu lat usiłują napisać powieść swojego życia? Być świadkiem geriatrycznych przepychanek? Doprawdy są ciekawsze sposoby zabicia nudy niedzielnego popołudnia.

– A inne opcje?

– Spotkanie Klubu Wojowników Ziemi. Wbrew pozorom bardzo spokojne towarzystwo, skupione głównie na konsumpcji własnoręcznie uprawianej maryśki. Dwie godziny w oparach absurdu.

Fiotroń był już raz na spotkaniu alternatywnych konsumentów. Wyszedł w połowie, ogromnie zniechęcony. Najpierw organizatorzy urządzili żałosny happening pt. „Deptanie Biedronki", potem nieudolnie zaczęli się obrzucać margaryną Kasią, by na koniec poprosić o datki. Na dalszą walkę o lepsze jutro. Jeśli tak wyglądają początki wielkich ruchów....

– Tak właśnie wyglądają – zapewniła Brzytwa. – Zgrzebnie, chaotycznie, bez scenariusza. Ale wystarczy zainteresowanie mediów, trochę kasy i robi się profesjonalnie. Dobre oświetlenie, szczegółowy skrypt, charakteryzacja i dubbing w wykonaniu Krystyny Czubówny. Więc Klub odpada?

– A nie możemy iść po prostu na Kazimierz?

– Nigdy nie spędziłeś dnia bez wydawania forsy?

Próbował parę razy, ale zawsze kończyło się porażką. Ostatnim razem, kiedy umówił się z Debeściakiem w Bunkrze Sztuki.

Właśnie miał zasiąść przy stoliku, kiedy odkrył, że zapomniał portfela. Natychmiast prysnął tylnym wyjściem, postanawiając poczekać na Plantach. To tylko kwadrans, góra pół godziny, dam radę, powtarzał, niespokojnie rozglądając się na boki. Zaraz dopadło go dwóch skacowanych bezdomnych zbierających na wieczorną prytę. Fiotroń rozłożył puste dłonie i przesiadł się bliżej Bagateli. Tu powinno być spokojnie, pomyślał, kokosząc się na chybotliwej ławce. Po kwadransie dołączyła do niego staruszka w filcowym toczku. Omówiwszy prognozy na jutro, wyjęła zza pazuchy gruby plik „Strażnic", prosząc by nie lekceważył głosu Boga. Wziął kilka, byle mieć ją z głowy, ale zaraz podszedł akwizytor rowerowych alarmów. Jednorazowego użytku, pod warunkiem, że masz spo-

ro szczęścia. *Na ogół psują się w momencie uiszcze-
nia opłaty. Fiotroń nawet by się skusił (dla świętego
spokoju), ale miał w kieszeni tylko dwa złote. Akwizytor, niestety, nie dał wiary zapewnieniom Dionizego
i wepchnął mu do ręki kolejny alarm „gratis". Zrezygnował dopiero, widząc zbliżającą się straż miejską.
Fiotroń podążył za nim, miał dziwne podejrzenia, że
strażnicy i jemu nie odpuszczą. Może nawet każą się
wylegitymować? A przecież nie ma przy sobie dokumentów, jęknął, przyśpieszając kroku. Spoczął dopiero przy Filharmonii, gdzie natychmiast obsrała go
kawka. Po tych przykrych doświadczeniach uznał, że
należy zawsze nosić przy sobie pieniądze. Tego się wymaga od osób dojrzałych: żeby płaciły wszystkie ra-
chunki.*

– Kto nie płaci, nie ma głosu.

– Ciekawe podejście – podchwyciła Brzytwa. – Dosyć popularne w dziewiętnastym wieku. Zastanawia
mnie tylko, dlaczego ceniono jeden rodzaj waluty, zupełnie lekceważąc inne. Na przykład pracę, a nierzadko
talent.

– Ja wiem, że wy, kobiety, nie darzycie epoki wikto-
riańskiej szacunkiem – wtrącił Fiotroń. – Domowa nie-
wola, trauma ciasnego gorsetu.

– Mój drogi, gorset będzie zawsze. Kiedyś nosiłyśmy
tiurniury, dziś mamy implanty pośladków. Zmieniają

się tylko szczegóły techniczne. Ale oczywiście poczyniono pewne postępy, na przykład w dziedzinie środków znieczulających. Chwila, moment i nie będzie nas nic bolało. O, jest wolna szachownica! – ucieszyła się Brzytwa, wskazując kamienny stolik tuż przy murze kościoła na Skałce. – To pędźmy, bo nam zajmą miejsce niedzielni brydżyści.

Fiotroń dostrzegł po prawej grupkę żulików w kraciastych, dawno nie pranych koszulach. Wieczni renciści i kawalerowie, nawet jeśli zaliczyli po drodze trzy sfrustrowane żony. Dziwnie skoczni, zważywszy ich zharatane zdrowie. Tylko patrzeć, jak ich podsiądą. Na szczęście Brzytwa zareagowała w samą porę. Trzy długie susy i była na miejscu. Panowie odpowiedzieli oklaskami.

– Za pół godziny zwolnimy – oznajmiła, kłaniając się jak na mistrzynię przystało. – Widziałeś, jaki skok? – zwróciła się do Fiotronia.

– I poczułem – zdradził, skrzywiony. – Zdeptałaś mi nowe buty.

– Potknęłam się – wyjaśniła, nie tracąc humoru. – Ja wiem, że nie jesteś przyzwyczajony, twojej żonie to się nigdy nie zdarza. Pewnie płynie dziesięć centymetrów nad podłogą. Co się stało?

– Właśnie sobie przypomniałem, że zimą straciła równowagę. Zapytałem, niby żartem, z kim piła wino. Odparła, że to przez ciśnienie. Spadło, a ona zapomniała wypić kawę.

– Wcześniej też jej się zdarzało?

– Wcześniej tak się nie przyglądałem – odparł, siadając na kamiennej ławie.

– Ciekawe, że potrzebowałeś „tego trzeciego", żeby wreszcie przyjrzeć się własnej żonie. Masz długopis?

Podał jej pióro Parkera. Dosyć drogie, ergonomiczne i niezwykle wytrzymałe, przy tym nie sprawia wrażenia zbyt efektownego. Pióro dla zamożnych, którzy nie lubią się afiszować grubością portfela. Oczywiście Brzytwa nie ma pojęcia o podobnych subtelnościach. Pewnie myśli, że trzyma w palcach kioskową podróbę za piętnaście złotych. I dobrze, uznał Dionizy, z niechęcią wspominając zajście na targowisku. Jeszcze by go wyśmiała albo co gorsza obrzuciła przykrymi informacjami na temat losu indonezyjskich robotników. A może to tylko pozory? Może Brzytwa udaje niechęć do metek, bo jej nie stać na jakość potwierdzoną odpowiednim logo. Może trzyma pióro z radością, oczywiście głęboko tłumioną. Nigdy by się nie przyznała, że mu czegoś zazdrości, stwierdził Fiotroń, zerkając na nią z ukosa. Właśnie machnęła toporną linię, dzielącą kartkę na dwie w miarę... hmmm... równe połowy.

– Po lewej wypiszemy konkretne zdarzenia, po prawej nastroje i przeczucia. Czy ty mnie słuchasz? – Uniosła głowę, nieco ją przechylając.

Zgoda, trochę odpłynął, bo zapatrzył się na dłoń, w której trzymała pióro. Fiotroń zna osoby leworęczne i nieraz widział, jak piszą. Ale z tak dziwnym ustawieniem przegubu jeszcze się nie spotkał. Aż dziw, że Brzytwie udaje się stawiać wyraźne litery. Ale nie może tego komentować na głos, tak jak nie powinno się zwracać uwagi na czyjeś odstające uszy.

– Przepraszam – powiedział tylko.

– Tak mi najwygodniej – wyjaśniła, rzucając mu krótkie spojrzenie i natychmiast przeszła do omówienia listy. – Więc po lewej mamy następujące zdarzenia.

✓ ścianka działowa, postawiona bez ostrzeżenia jesienią,

✓ rozbity „Smak letnich dni",

✓ czerwień swetra, zignorowana w pośpiechu,

✓ kolorystyczny bałagan w kosmetykach,

✓ latająca forteca do składania,

✓ cholerne dziewięć tysięcy kawałków,

✓ lekki zawrót głowy; i wreszcie:

✓ sprawa ósemki; wątek poboczny, ale może się przyda.

– To wszystko? – zapytała.

Fiotroń uciekł wzrokiem, zawstydzony. Żeby podejrzewać żonę na podstawie takich bzdurek? Brzytwa musi mieć o nim straszne zdanie.

– Bardzo często wyjeżdżałem na szkolenia, więc wiele zdarzeń mogło mi umknąć – usprawiedliwiał się Dionizy.

– Ale po powrocie łatwiej dostrzec zmiany, nawet te mniej widoczne niż ścianka działowa.

– Trudno śledzić na okrągło własną żonę – bąknął.

– Przechodzimy zatem na stronę prawą – oznajmiła.

– Właściwie zdarzyło się coś jeszcze – wtrącił, zakłopotany. – To znaczy nie zdarzyło się, choć zazwyczaj... krótko mówiąc chodzi o sprawy łóżkowe.

Umilkł, zastanawiając się, jak właściwie oświetlić całe to niezdarzenie. Należy od razu zaznaczyć, że Dionizy nie ma trudności z mówieniem o seksie. Nie jest wstydliwy ani pruderyjny, dysponuje odpowiednim słownictwem (naukowym, żartobliwym lub po męsku soczystym). I co ważne, potrafi zachować spokój. Uśmiech owszem, rubaszny rechot, kiedy trzeba, ale bez ekscytacji rodem z żołnierskich baraków. Kiedy Fiotroń opowiada o walorach Jenny Jameson, od razu widać, że gość ma doświadczenie. Ale co innego rozbierać obcą pornogwiazdę, co innego obnażyć własną żonę. A przy okazji siebie. Stąd potrzeba odpowiedniego ustawienia świateł. Żeby wyeksponować to co ważne, pozostawiając w cieniu niewygodne detale.

– Chodzi o to – odchrząknął – że kiedy zimą podjąłem grę wstępną, Szarlota nawet nie drgnęła. Nie, na pewno nie spała – uprzedził pytanie. – Leżeliśmy oboje, nieco zmęczeni po parapetówce u kolegi z firmy. To był udany wieczór – wtrącił. – Pomyślałem, że parę minut relaksu uwieńczyłoby dzieło.

– Tak zwany krótki numerek?

– Powiedzmy.

– Zabrałeś się do roboty i co?

– I nic. Szarlota nawet nie drgnęła.

– A na ogół?

– Reaguje niemal natychmiast. Nawet jeśli nie ma ochoty, bardzo się stara – wyjawił Fiotroń, z lekkim zażenowaniem. Nie chciał, żeby zabrzmiało to tak... aseksualnie.

– Wywiązuje się z obowiązków – podsumowała Brzytwa.

– To nie tak! Nasze życie intymne jest bardzo udane – zapewnił. – Dużo czytamy, nie boimy się eksperymentów ani gadżetów. Krótko mówiąc jesteśmy bardzo otwarci na nowe obszary seksualnych doznań – wyrzucił z siebie Fiotroń i natychmiast zrobiło mu się głupio. „Otwarci na obszary", dobre sobie, tylko czekać aż Brzytwa skomentuje to złośliwym pytaniem: „czy jesteście równie otwarci na samych siebie?" Ale zapytała o co innego.

– Macie lustro na suficie? – Zdziwiony zaprzeczył.

– To nie montujcie. Zabija popęd w pięć miesięcy; nikt nie chce leżeć pod spodem. Wróćmy do pracy – odezwała się po chwili. – Ile razy Szarlota zareagowała kłodą?

– Dwa albo trzy.

– A potem?

– Potem już nie próbowałem – odparł przygnębiony.

– Pytałam, co było nazajutrz. Tłumaczyła się jakoś?

– W żadnym razie. Zachowywała się tak, jakby nic się nie stało.

– Może byłeś zbyt dyskretny?

– Takich pieszczot nie sposób przeoczyć – sierdził się Fiotroń. – A ona je zupełnie zignorowała! Zupełnie. To znaczy ostatnim razem – wreszcie zebrał się na odwagę – ostatnim razem zaczęła drapać się po stopie, mówiąc, że chyba mamy mrówki. Albo nawet coś gorszego. Zrozumiałem aluzję i zaprzestałem dalszych starań.

– Nie mogłeś zapytać, o co chodzi?

– W intymnych chwilach używamy wyłącznie języka ciała – zdradził, czekając na reakcję Brzytwy.

Zaraz mu powie, co należy zrobić w takiej chwili. Przełączyć się na inny kod dostępu, zasięgnąć rady specjalisty albo pogadać od serca.

– Numer dziewięć – rzuciła tylko, jednocześnie notując – zimowa znieczulica. Teraz wypełnimy prawą stronę. A więc, począwszy od przeprowadzki, zauważyłeś, że:

✓ Szarlota jest nieobecna i rozkojarzona,
✓ prawie się nie odzywa, ale:
✓ gęsto się tłumaczy, jakby w poczuciu winy,

✓ nie pasjonuje się pracą – bez żalu oddała pieczę na gabinetem wspólniczce,

✓ czujesz dziwny niepokój. Jakby zmienił się skład powietrza.

– To ostatnie mógłbyś rozwinąć – poradziła Brzytwa, rysując w dole kartki koślawy kwiatuszek. – Skąd ten dziwny niepokój. Bo Szarlota przestawiła meble? – Zaprzeczył. – Inaczej gotuje?

– Rzadko jadamy razem – tłumaczył się Fiotroń. – Jeśli już, to raczej na mieście.

– Kto częściej szykuje posiłki?

– Trudno powiedzieć. Ostatnią kolację przygotowywałem sam, Szarlota była zajęta porządkowaniem papierów. Pytałem, czy ma jakieś szczególne życzenia. Odparła, że daje sobie spokój z głupimi dietami. Dziwne – odezwał się po chwili. – Bo jednak zjadła tylko małą porcję spaghetti. I zostawiła pół tiramisu. Więc o jaką dietę chodziło?

– Są przeróżniste – wyliczyła Brzytwa. – Bezsolna, bez cukru, Montignaca, Atkinsa, wegetariańska. Niekoniecznie chodzi tylko o kalorie. Może Szarlota ograniczała kiedyś konkretny rodzaj...

– Mam! – Przypomniał sobie. – Kiedy przenieśliśmy się do Krakowa, prawie nie jadła nabiału. Pamiętam, że zrobiłem raz czy dwa zapiekankę z pleśniowym serem i nie skubnęła nawet okruszka, dla sprawdzenia smaku.

– Pytałeś, dlaczego?

– Oznajmiła, że mdli ją od samego zapachu.

– Kiedy znowu zaczęła jeść sery?

– Chyba w tym roku, ale nie dam sobie uciąć głowy. Palca również – zażartował. Brzytwa nie zareagowała.

– Na ostatniej sobotniej kolacji powiedziała, że koniec z dietami – powtórzyła, marszcząc w skupieniu brwi.

– Też mnie to dziwi, przecież kochanek mobilizuje do większej dbałości o wygląd. No chyba że odnalazła prawdziwą połówkę, przy której czuje się na tyle bezpiecznie, że...

– Sprawiała wrażenie tak wyluzowanej?

– Podczas kolacji była w lekkiej euforii – przypomniał.

– To jednak spora różnica, mój drogi. Jak między kieliszkiem francuskiego szampana a kuflem czeskiego browaru. A jakieś inne zmiany? – drążyła. – Nowy układ książek na półkach? Albo niespotykane wcześniej ozdoby?

– Musiałbym to sprawdzić.

– Koniecznie – poleciła Brzytwa, chowając kartkę do lnianej torby. – A teraz frikowisko.

– Naprawdę musimy? – jęknął.

– Skoro nie chcesz plątać się po mieście, jest tylko jedna opcja: pierożki u chrzestnej. Zapewniam, nie będziesz żałować!

*

– Jak się właściwie poznali? – dopytywał Fiotroń, nerwowo stukając w kierownicę.

Minęli właśnie plac Centralny, a im bliżej domu chrzestnej, tym większa zżerała go trema. Żeby chociaż mógł się jakoś przygotować, kupić róże albo białe wino. Niestety, Brzytwa zaraz mu oznajmiła, że wina chrzestna nie pija wcale, a kwiaty toleruje wyłącznie w ogródku. Nie lubi patrzeć, jak umierają w szklanym wazonie. Więc Fiotroń przyjdzie z pustymi rękami. Do prawie nieznajomej osoby! W dodatku bez uprzedzenia. Na samą myśl zrobiło mu się sucho w gardle. Żeby zagadać stres zaczął sypać pytaniami. Jak się chrzestnej mieszka w Nowej Hucie? Dobrze. Czy spotyka się z niechęcią tubylców? Jaką niechęcią! Chodzi o wąsy? Chłopie, tu wąs jest prawdziwie ceniony, nawet u kobiet. I wreszcie: jak się właściwie poznali?

– Z chrzestnym? Oczywiście na chrzcinach.

Chrzestny, wtedy jeszcze Witek, bliski kolega Królowej Matki, był najbogatszym dziedzicem we wsi. Co prawda hektary, wraz ze szklarniami należały do seniora rodu, ale liczono, że najdalej w ciągu dekady sytuacja ulegnie zmianie. Ktoś, kto je za dwóch, pali za trzech, a pije za siedmiu, nie może żyć wiecznie. Zresztą po co, powtarzały kumy, swoje już zrobił, teraz pora na młodego. Zapraszano więc juniora na wszystkie

*wioskowe imprezy. Niech ma szanse! Niech się wy-
każe! Witek, chłopak niezbyt urodziwy, a przy tym
bardzo nieśmiały, na ogół odmawiał, zasłaniając się
katarem siennym (wiosną), wrzodami żołądka (jesienią), grypą (zimą) i poparzeniem słonecznym (latem).
Dlaczego zgodził się trzymać do chrztu małą Polkę?
Ponieważ jej mama jedyna z całej szkoły nie rzucała
w Witka śnieżkami. Raz nawet przepędziła łobuzów
z sąsiedniej wioski, którzy chcieli go wyklepać na bał-
wana. Obiecał sobie wtedy, że się odwdzięczy, kiedy
tylko będzie miał okazję. Okazja nadarzyła się dwana-
ście lat później w postaci zaproszenia na chrzestnego.
Witek przygotowywał się do swojej roli okrągły miesiąc. Przed samą ceremonią wypił trzy szklanki uspo-
kajających ziółek. Kiedy trzymał becik z małą Polką,
nagle zaczerniło mu się przed oczami i poleciał w tył
na marmurową podłogę. Pewnie doszłoby do tragedii, gdyby nie błyskawiczna reakcja Heleny, pięknej
kuzynki Matki Polki. Dziewczyna chwyciła Witka za
koszulę, jednym szarpnięciem ustawiając do pionu.
Potem pchnęła na ławkę, odbierając becik wraz z roz-
wrzeszczaną zawartością. Złapała Polkę w ostatniej
chwili. I nie puściła aż do końca imprezy.*

— W ten sposób zyskałam dodatkową chrzestną.
Awaryjną, jak żartujemy na urodzinach — oznajmiła
Brzytwa, niezdarnie gramoląc się z auta.

A potem trzasnęła drzwiczkami tak, że o mały włos nie poleciała szyba. Fiotroń uznał, że musi wreszcie interweniować.

– Tak nie może dłużej być! – zaczął ostrym tonem.

– Znowu trzasnęłaś!

– O Jezu, zapomniałam! Sorry! – Nie zabrzmiało to wcale jak przeprosiny. Ani odrobiny skruchy!

– Być może jeździłaś dotąd traktorami, więc nie masz pojęcia jak się obchodzić z drogim autem...

– Chyba nie doceniasz traktorów, kolego. Przyzwoity model kosztuje ze dwa razy tyle co twój diesel.

Nigdy by nie podejrzewał, że Brzytwa rozpozna charakterystyczny klekot diesla. A może zauważyła z tyłu literki TDCI? Ale przecież nie zwraca uwagi na żadne detale. Co tam detale, lekceważy całe maszyny, nawet te nadjeżdżające z naprzeciwka. Pewnie tak sobie strzeliła, w ciemno, żeby zbić go z tropu i w ten sposób zamknąć temat. Pisał o tym artykuł w zeszytach poświęconych psychomanipulacjom.

– Nie zmienia to faktu – podjął, trzymając się procedury z ulubionego podręcznika – że od paru dni trzasnęłaś drzwiami co najmniej cztery razy. Za każdym coraz mocniej!

– Przepraszam, przepraszam, przepraszam, przepraszam. Wystarczy? – Zrobiła minę, jaką zwykle kwituje się trucie marudnej dyrektorki na apelu w siódmej klasie.

– A teraz znowu trzask.

– Za to już przeprosiłam – odparła. Fiotroń pokręcił głową. – Kumam, po angielsku nie przechodzi. Więc wycofuję „sorry" i zamiast niego wstawiam „przepraszam". I jeszcze jedno „przepraszam" gratis. Wystarczy?

– Wiesz, ile wynoszą odsetki od kredytu? – Nie wytrzymał.

– Myślałam, że wziąłeś autko w promocyjnym oprocentowaniu. Wyglądasz na faceta, który lubi chwytać okazje.

– Próbujesz mnie obrazić?

– A co w tym obraźliwego? – Spojrzała mu prosto w oczy. – Powiedziałam tylko, że nie lubisz przepłacać. Masz z tym jakiś problem? Jeśli wolisz, możemy jeździć tramwajem – dodała po chwili. – Oszczędzimy stresów i zejdziemy z kosztami.

Znowu zabrzmiało to jak przygana, ale postanowił nie reagować. Zrezygnowany powlókł się za nią do klatki schodowej. Jeszcze ta niepotrzebna nikomu wizyta. Wolałby zjeść niedzielny obiad we własnym mieszkaniu. Ale nie ma wyboru, musi się wywiązać z danego Brzytwie słowa. Zresztą, kiedy rozmawiał dziś rano z żoną, nawet się ucieszyła, że Dionizego nie będzie na obiedzie. Nie chce mi się gotować, przyznała, dyskretnie ziewając. Wolę poleniuchować z książką, a potem dokończę porządkować papiery.

– Nie denerwuj się tak – poradziła Brzytwa, nacisnąwszy guzik dzwonka. – Postaram się zredukować swoją brutalność do niezbędnego minimum.

Chciał coś odburknąć, ale właśnie otwarto drzwi. W progu stanęła chrzestna, tym razem bez afro i bez wąsów, za to uczesana w przedwojenne fale.

– Witam, nie mogli trafić lepiej – cieszyła się, wygładzając dłońmi haftowany fartuszek. Fiotroń dostrzegł białą szykowną bluzkę i ogromne bordowe korale. Najwyraźniej poszukiwania w Galerii zakończyły się sukcesem. – Właśnie rumieniłam masełko. Niech wejdą. Kapci nie trza wkładać. Zapraszam do stołowego.

Wkroczyli do pomalowanego na groszkową zieleń pokoju. Fiotronia aż cofnęło na widok meblościanki. Niemal identyczna jak u chrzestnego. Podobnie dywan, z zadeptanymi na śmierć kwiatami, błyszcząca ława (tu litościwie przykryta koronkową serwetą) i żyrandol straszący plastikowymi kryształkami. Tylko fotele miały bardziej przyjemne welurowe obicia w kolorze leśnego mchu.

– Ten segment – wyjąkał. – Widziałem już u...

– Dobro zastane – wyjaśniła chrzestna. – Jak się wyniosłam od ślubnego, poszukałam pokoiku, na Hucie, bo taniej. Przygarnęła mnie jedna taka staruszka. Bogata, a nieufna jak cholera. Lodówkę zamykała na kłódkę, pokój to samo. A w drzwiach z piętnaście zamków. Ale ja to bym oswoiła nawet czarną panterę. Po trzech latach już żeśmy się kawkowały na balkonie. Po dziesięciu zapisała mi wszystko, razem z umeblowaniem. Wiem, że stare, znoszone, ale swój urok ma. Wolę takie niż luksusy na Dąbiu. Ile się człowiek naharował, żeby to zdobyć. Ile krwi, potu i nadgodzin! Zmarnowany czas tylko.

Ale przecież takie same graty stoją w jej dawnym mieszkaniu, dziwił się Fiotroń. Może powinien to wyjaśnić, sprostować, pomyślał i nagle go olśniło. Chrzestna nie chce pamiętać. Opuszczając chrzestnego, wymazała z ulgą wszystkie szczegóły nieudanego pożycia. Jedyne, co zostało to niejasny obraz „złotej klatki", w której zmarnowała najlepsze lata.

– To jak? Poczekają sobie w stołowym, a ja dokończę z tymi pierogami? Długo nie zajmie, już odsączone, tylko na talerze rozrzucić, masłem polać i będą. Ciasto też przygotowałam – pochwaliła się, poprawiając z radością korale. – Tak mnie wczoraj swędziała prawa ręka. Myślę, na gości, to upiekę. Z rambambarem. Tylko pokroić trzeba.

– Ja pomogę – zaoferował się Fiotroń. – Mam w tym wprawę.

– To ja poproszę. Otworzyłoby się jeszcze naleweczkę z wiśni, ale strach schodzić do komórki – przyznała, nieco zawstydzona.

– Mogę skoczyć – wtrąciła Brzytwa, sięgając po kluczyki do piwnicy, zawieszone w stylizowanej zakopiańskiej skrzynce.

– Niech skoczy. I przy okazji weźmie słój ogórków, żebym na tygodniu nie musiała tam złazić. I grzybki może.

– Wezmę po dwa słoje, będzie ciocia miała pod ręką.

Brzytwa wyszła, Fiotroń zajął się krojeniem ciasta.

– Mogła zabrać torbę – odezwała się chrzestna, polewając pierogi gorącym masłem. – Chociaż już nie tłucze naczyń jak kiedyś. Bardzo się przez ostatnie lata wyrobiła.

– Naprawdę? – Celowo podkreślił zainteresowanie, żeby skłonić chrzestną Brzytwy do zwierzeń.

– Jak jej te palce połamali szufladą, tośmy myśleli, że kaplica. Dłoń do amputacji.

– Kto jej połamał?

– Na milicji, bo ją złapali na ulicy z ulotkami w tornistrze. I nie patrzyli, że w szkolnym fartuchu jeszcze chodzi, tylko do suki i prosto na komisariat. A tam przesłuchanie: kto, gdzie, kiedy i dlaczego. Nie chcesz mówić? To ci pokażemy! Zaczęli od lewej ręki, że niby mniej używana. Niestety źle trafili – ciągnęła chrzestna, wyłączywszy gaz. – Jedną rękę połamali doszczętnie, a młoda ani pary z ust nie puściła, taka zacięta. Biorą się za prawą, kiedy wpadł komendant i machając legitymacją szkolną wrzeszczy na podwładnych, od chujów wyzywa. Ci się tłumaczą, że nie wiedzieli. Że makijaż jak u starej torby, panie komendancie, tusz aż

kapie a hardość jak u tych spod latarni. Kto by poznał,
że pod spodem dzieciak siedzi. No kto? Komendant
pokurwował przez chwilę, a potem zgarnął podwładnych do innego pokoju. Tam pogadali, ustalili co trzeba i zawieźli Polkę prosto na pogotowie. Że niby ofiara ulicznego zajścia. Bo były wtedy strajki w sąsiednim
mieście. Na odchodnym przykazali, że morda w kubeł,
bo wszyscy polecą. Nawet ordynator! Z tego stresu za-
łożono dziewczynie gips za ciasno i wdały się powikła-
nia. Trzeba było kości łamać, jakieś druty do środka, ja
to już nawet nie chcę pamiętać – chrzestna machnęła
dłonią. – A najśmieszniejsze, że pół roku później było
po wszystkim. Socjalizm padł jak długi. Sześć miesięcy,
tyle zabrakło, i ręka byłaby zdrowa, i szkoła niezawalo-
na. Eh, szkoda gadać.

– No to jestem! – oznajmiła Brzytwa, trzaskając
drzwiami.

– W samą porę. Pierogi na stole.

*

Wracali w milczeniu. Fiotroń chętnie zapytałby
o przesłuchanie, ale nie wiedział, od czego zacząć. Tak
wprost to nie w jego stylu. Ale jaki wstęp byłby odpowiedni? Kilka pełnych współczucia uwag? Naprędce
uszyta bajka o koledze, któremu też się dostało od pał-
karzy systemu? Opowieść o własnej licealnej młodości?

Chmurnej i durnej? Żałosne podchody, stwierdził nagle, mocniej chwytając kierownicę. Jeżeli zechce, sama mu powie. A jeśli nie zechce? Dziwne. Kiedy na początku Brzytwa oświadczyła, że dzięki wspólnie spędzonemu tygodniowi lepiej poznają się nawzajem, Dionizy nie krył zdziwienia. Po co mu taka wiedza? I do czego? A teraz chętnie by posłuchał, jak doszło do aresztowania. Skąd się wzięły ulotki w jej szkolnej torbie? I co się działo potem, już po nastaniu wolnej Polski? Czy Brzytwa domagała się sprawiedliwości u nowych władz? Czy winni zostali ukarani? Wielu rzeczy Fiotroń chętnie by się dowiedział, niestety, nie ma odwagi rozgrzebywać cudzej przeszłości.

– Jesteśmy na miejscu – oznajmił, parkując przy Zamojskiego.

– Pamiętaj o zadaniu na jutro – poleciła, trzaskając drzwiami jak zwykle. Wyjątkowo nie zareagował.

– Zrobię przegląd inwentarza – zażartował, podając jej dłoń na pożegnanie. Chyba pierwszy raz, od... od kiedy przeszli na ty.

– Zrób, bardzo szczegółowy. Zdasz mi relację jutro o dziewiątej. Na Serkowskiego pod rentgenem jak ostatnio. Pamiętasz? To lecę, bo jestem skonana. – Ziewnęła, nie zadając sobie trudu, żeby zasłonić paszczę. – A to – rzuciła na odchodnym – to już nic nie boli.

Wieczorem, kiedy Szarlota położyła się spać, Fiotroń zrobił obchód całego mieszkania. Sącząc kieliszek mocnego porto (dla przełamania oporów), przyglądał się fotografiom (te same), książkom (ułożone jak zwykle alfabetycznie) i gustownym drobiazgom (dobrane do stylu wnętrza tak, że prawie ich nie widać). W przedpokoju zauważył trzy pary butów ułożone jak zwykle wzdłuż niewidocznej, równiusieńkiej linii. W kuchni – no cóż przede wszystkim nie dostrzegł jedzenia, garnków ani sztućców. Szarlota zawsze lubiła dyskretne rozwiązania. Aż dziw, że w łazience pojawiły się takie utensylia jak porcelanowy bidet i podwieszana miska WC. Zgodę na sofę w kąciku wypoczynkowym wyraziła wyłącznie ze względu na gości. Ale kuchnia to moje prywatne królestwo, podkreśliła, chcę urządzić je po swojemu. I urządziła, łącząc laboratoryjny minimalizm z japońską dyskrecją. Próżno tu szukać jakichkolwiek ekstrawagancji, a co dopiero dowodów zdrady. W takim razie szafy, zadecydował Fiotroń, oblewając się natychmiast zimnym potem. Przypomniał sobie bowiem bardzo nieprzyjemne zdarzenie z czasów przedszkola.

Bawił się wtedy w garderobie rodziców, odgrywając przed lustrem scenę z Kopciuszka. Przymierzał właśnie „czarodziejski pantofelek", mrucząc do siebie z zachwytem: „cóż za malutka nózka, ksienznicko", kiedy do pokoiku wparowała matka, wtedy jeszcze zwana kochaną mamusią. Na widok syna wbiła palce obu dłoni między druciane wałki i zaczęła lamen-

tować. Że wstyd, że dramat, że sodoma gomora, i co powiedzą sąsiedzi. Przybiegł kochany tatuś, obie siostry, a nawet pani Jadzia, sprzątająca w soboty. Po długiej chwili konsternacji tatuś wziął sprawy w swoje męskie ręce. Siostrom kazał natychmiast wyjść na spacer, pani Jadzi – zamknąć okno, matce zaś – usta, a sam wygłosił kazanie o tym, dlaczego nie wolno szperać w cudzych szafach (wielki grzech) i mierzyć cudzych ubrań (ogromny grzech, za który można trafić do kotła z wrzącą siarką). Fiotroń, zwany wtedy kochanym Dyziem, w szoku nie uronił ani łezki, za to zmoczył swoje nowe błękitne spodenki (kolejny grzech i szlaban na wafelki). Po występie ojca Fiotroń już nigdy nie odważył się dotknąć drzwi rodzicielskiej garderoby. Nie pożyczył też od nikogo choćby szalika, do dziś nie znosi czytać baśni, a słowo „Kopciuszek" przyprawia go o sensacje żołądka.

I pomyśleć, że teraz musi przejrzeć szafę własnej żony. Okropne! Ale przecież nie jest już dzieckiem, przekonywał samego siebie Fiotroń, sięgając po wino. Poza tym Brzytwa kazała mu porządnie odrobić zadanie. Jeśli zawali, będzie tkwił nadal w... sam nie wie, jak określić ów dziwny stan utraty złudzeń. Przedsionkiem czyśćca? Człowiek już wie, że coś mu dolega, ale nie potrafi zlokalizować źródła cierpienia. Jeśli chce je poznać, musi mieć odwagę, by zajrzeć do zakazanego królestwa, pomyślał, oblizując wyschnięte na wiór wargi. Dolał sobie porto, wypił jednym haustem i ostrożnie otworzył dębowe drzwiczki. Zapachniało cedrem i lawendą, co go nieco uspokoiło. Zaciskając do białości dłonie, Dionizy zajrzał do środka. Ubrania ułożone równiutko jak w sklepie, ale coś jest nie tak, szepnął do siebie. Kolory w porządku, nie pojawiło się też nic ekstrawaganckiego, co odróżniałoby się od znajomej mu reszty. Żadnych nowych bluzek, żakietów, nic, czego nie widział już wcześniej i nagle zrozumiał: na półkach nie ma ani jednej nowej rzeczy. Ani jednej! Wygląda na to, że od zimy Szarlota nie dokupiła nawet podkoszulka. Co więcej, Fiotroń ma dziwne wrażenie, że pozbyła się części ubrań. Tak, teraz widzi wyraźnie: szafa nie jest zapełniona nawet do połowy. Gdzie podziała się reszta rzeczy? Spakowana w walizkach? W garderobie u kochanka? W kontenerach dla ubogich? Niemożliwe, Szarlota nie pozbyłaby się w ten sposób markowej odzieży. Raz szukała właściwego odbiorcy dla swoich prawie nie noszonych wieczorowych sukien. Kogoś, kto doceniłby ich nietuzinkowy krój i wyjątkową jakość wykonania.

Zatrudniona w gabinecie manikiurzystka dała jej namiary na swoją dawną klientkę. Z bardzo dobrej rodziny, starannie wykształcona i elegancka. Obecnie bardzo zubożała z powodu nałogów męża, ale nadal trzyma fason.

– *Jada wyłącznie na angielskiej porcelanie* – *wy-szeptała manikiurzystka z podziwem.* – *Nawet jeśli to ziemniaki ze słoniną. Cóż, prawdziwej elegancji nie zabije byle pijaczyna.*

Jeszcze tego samego wieczoru Szarlota spakowa-ła wszystkie niepotrzebne kreacje i po krótkiej rozmo-wie telefonicznej zawiozła do nowej właścicielki. Akt przekazania nie doczekał się powtórki. Fiotronia nur-towało, kto okazał się nie nazbyt wytworny: obdaro-wany czy obdarowujący. Ale wolał nie pytać, a nuż w tym pojedynku porażkę poniosła jego żona? Rok później, podczas przeprowadzki Szarlota stwierdziła, że to dobra okazja, by się pozbyć niektórych ubrań. Ale jak? Na śmietnik wyrzucić szkoda, do koszy PCK też nie bardzo. Słowem: dylemat.

– *Co z kobietą od sukienek?* – *zagadnął Dionizy.*

– *Niewypał* – *mruknęła zachmurzona.*

– *Nie poznała się na tym co wyjątkowe* – *usiłował pocieszyć żonę.*

– *Poznała, od razu* – *odezwała się wreszcie, zakle-jając pudło z sandałami.* – *Była szczerze wzruszona.*

– *Więc nie rozumiem, gdzie leży problem?*

– *Kiedy rozpakowywałam torbę, dotarło do mnie, że zależy mi wyłącznie na rzeczach. Żeby dobrze trafi-ły. Żeby je szanowano. Nagle zobaczyłam wzruszenie tamtej kobiety i zamiast się ucieszyć, zrozumiałam, że ją wykorzystuję.*

– Ale przecież jej pomogłaś – zapewnił, bez większego przekonania. Czy ma sens obdarowanie wieczorowymi sukniami kogoś, kto znalazł się niemal na dnie? To jak karmienie głodnego belgijskimi czekoladkami. Ale może biedacy też potrzebują łakoci?

– Chyba jednak wolę kogoś anonimowego – przyznała Szarlota, wychodząc na balkon.

Najwyraźniej znalazła, stwierdził z przekąsem Fiotroń, przyjrzawszy się pustawej szafie.

*

– Może robi wiosenne pranie brudów – zażartowała Brzytwa, kiedy Fiotroń skończył się dzielić nocnymi obserwacjami. – Mówiłeś, że jest BARDZO dyskretna.

– Owszem – przyznał, mocno zaciskając szczęki. Dyskretna i subtelna, w przeciwieństwie do ciebie, mógłby dodać, ale nie będzie przecież kopał słabszego. Nie jest byle milicjantem i potrafi się opanować, nawet jeśli uwagi Brzytwy przyprawiają go o gęsią skórkę.

– Sprawdziłeś, których ciuchów brakuje? – zapytała, przekładając pierścionek z palca serdecznego na środkowy, potem na kciuk i apiat' od nowa.

– Nie sięgałem tak głęboko. – Zabrakło mu odwagi, a może porto.

– Szkoda.

– To naprawdę taka ważna wskazówka? – odezwał się Fiotroń przepraszającym tonem. W gruncie rzeczy, jakie ma znaczenie, czy znikły letnie bluzki czy też zimowe żakiety?

– Każda jest ważna, bo posuwa sprawę do przodu. Widzisz – podjęła po chwili, przełożywszy pierścionek z powrotem na kciuk. – Wiele osób symbolicznie żegna się z przeszłością, pozbywając się konkretnych ubrań. Na przykład dżinsów czy obcisłej mini.

– Szarlota nigdy nie chodziła w krótkich spódnicach.

– Podałam ci tylko przykład. Pierwszy lepszy z braku konkretnych danych – zirytowała się Brzytwa. – A tak prosiłam, żebyś dobrze się rozejrzał.

– Zrobiłem co w mojej mocy – bronił się Fiotroń. Do teraz ma potężnego kaca.

– A więc co takiego zauważyłeś poza zniknięciem kilku ubrań? Bałagan w książkach?

– Nie, były ułożone alfabetycznie, jak zawsze.

– Jakieś nowe tytuły?

– Nie dostrzegłem. To znaczy musiałbym chwilę pomyśleć – odparł szybko, widząc jej minę.

– Świetnie, pomyśl, a ja, w tak zwanym międzyczasie, zerknę sobie na Al Jazeerę – oznajmiła, wciskając guzik strupieszałego samsunga. – To jedyny program, jaki łapiemy poza jedynką.

– Znasz arabski? – zdziwił się Fiotroń.

– Ani hu hu.

– No to po co...

– Poco to się nogi noco – ściął go Beret, zaglądając przez balkonowe okno.

Bardzo dowcipne, skwitował Fiotroń, ale w myślach. Liczne przykłady pokazują, że nie warto wchodzić w konflikt ze służbami mundurowymi.

– Dlaczego zatem? – poprawił się, by zadowolić lokalnego purystę.

– Bo jest na co popatrzeć. No i mówią ślicznym językiem. Bardzo odpręża, zwłaszcza przed śniadaniem. Prawda, Beret? – Z balkonu rozległo się głuche „mhm".

– Ale przecież niczego nie rozumiecie.

– Skupiamy się na formie. Jak większość telewidzów. To do roboty – poleciła. – Kombinuj, kombinuj.

Fiotroń przysiadł zgarbiony na kufrze, zastanawiając się, co powinien zrobić w tej idiotycznej sytuacji. Już dawno nie czuł się równie fatalnie. Jakby przyszedł nieprzygotowany na egzamin i udawał, że posiada jakąś wiedzę. Powinien ogłosić walkower, przeprosić i wyjść z jej mieszkania. Przynajmniej ocaliłby resztki godności.

– Jednak sobie nie przypomnę – wydukał wreszcie, purpurowiejąc chyba po raz piąty w życiu, nie licząc purpury, którą przywdziewał, rycząc jako niemowlę.

– Tak myślałam. – Rzuciła mu kwaśny uśmiech. – W tej sytuacji powinnam wysłać cię do domu, żebyś rozejrzał się jeszcze raz, porządnie. Inaczej nie ruszymy.

– Nie ruszymy? – jęknął Fiotroń. – Wyobrażałem sobie, że... no że to ty...

– Że co ja? Odrobię za ciebie zadania?

– Niekoniecznie – skłamał, odwracając wzrok. – Liczyłem na bardziej profesjonalne podejście. Odciski palców, podsłuchy, obserwacja mieszkania...

– Profesjonalne? Przecież mówiłam, że jestem amatorką. Od początku znałeś moje stanowisko. – Spuścił głowę. – Zresztą, nawet gdybym bawiła się w Sherlocka Holmesa, nie załatwię za ciebie wszystkiego.

– Co teraz? Mamy jakieś plany na dzisiaj?

Zaprzeczyła.

– Sądziłem – miał nadzieję, że nie zabrzmiało to zbyt obcesowo – że skoro każesz mi wziąć urlop na cały tydzień, przygotowałaś wcześniej dokładny grafik. – I przynajmniej ze cztery awaryjne. On, Dionizy, tak by właśnie postąpił.

– Jak to sobie wyobrażasz taki grafik? Przecież każda historia jest inna! Zresztą – zdradziła po czasie – mam alergię na grafiki. Samo słowo wystarczy, że zaczynam się dusić.

– Ale chyba obowiązują pewne procedury postępowania – nieśmiało wtrącił.

– Jedyna zasada to brak zasad. Plus wyczulone ucho.

– Wydawało mi się, że skoro żądasz siedmiu wspólnych dni, to chyba wiesz, dlaczego właśnie tylu, a nie czterech czy dziewiętnastu i pół.

– Oczywiście, że wiem! – palnęła, rozdrażniona.

– A mogłabyś uchylić rąbka tajemnicy? – zapytał ostrożnie.

– Proszę bardzo: cztery dni to ze mało, zwłaszcza dla ciebie. A dziewiętnaście to za dużo, jak dla mnie. Z tego samego powodu czytam wyłącznie opowiadania.

– Ale żądałaś dyspozycyjności, chyba nie bez powodu – upierał się Fiotroń, próbując stłumić narastające zdenerwowanie. Za to Brzytwa! Zupełnie się dziś nie hamuje! Chlasta równo!

– Miałam powód, a jakże – zapewniła, huśtając się na starym krześle. – Zależało mi na tym, żebyś poświęcił swojej, podkreślam SWOJEJ sprawie jak najwięcej uwagi. Żebyś wszystko sobie przemyślał. Bez pośpiechu, ale gruntownie. Tylko to gwarantuje rozwiązanie.

– A jaka jest twoja rola?

– Niech się zastanowię. – Przymknęła oczy. – Pies przewodnik? Chirurg operujący na otwartym sercu? A może zwykły szerpa? Co byś wolał?

– Oczekiwałem, że....

– Że przeżyję za ciebie życie? Myślisz, że nie mam własnego?

Życie Brzytwy, to ci dopiero tajemnica. Fiotroń wie już, kim są jej rodzice i siostra bliźniaczka. Zna adres zamieszkania, poznał chrzestnych i osobistego anioła stróża, ale poza tym? Gdzie pracuje, z kim się przyjaźni i skąd się wzięły te nieszczęsne ulotki w jej tornistrze? Chętnie by się dowiedział, ale nie chce przekraczać granic cudzej intymności. Nie chce i nie potrafi. Zdaniem niektórych jest to brak odwagi, według Fiotronia wyuczona delikatność.

– Nie musisz mnie traktować jak inwalidkę – usłyszał nagle.

– Inwalidkę?! Nic podobnego! – zgrabnie odegrał oburzenie.

– Wczoraj o mało mnie nie udusiłeś z powodu drzwiczek, a dziś kraina wymuszonej łagodności. Nietrudno się domyślić, skąd ta zmiana.

Umilkła, mierząc go nieprzychylnym wzrokiem. Fiotroń spuścił głowę, zastanawiając się, jak przerwać tę wrogą ciszę. Co powiedzieć? Przepraszam? Ale za co? Za to że usiłował być delikatny?

– Nienawidzę, kiedy tak się starasz. – Odezwała się wreszcie. – Ta napięta jak po botoksie twarz, ten cholerny szczękościsk i protekcjonalny ton, jakbyś zwracał się do upośledzonej jedenastolatki. Już wolę, kiedy szalejesz z powodu byle auta! Przynajmniej jesteś żywym człowiekiem, a nie robotem realizującym program: „kwadrans litości dla ofiar byłego systemu". Więc wrzuć na luz i bądź po prostu sobą!

– Sobą? – wybałuszył oczy. Którym sobą? Poważnym wykładowcą i doktorem, już wkrótce habilitowanym? Skrupulatnym pracownikiem wielkiej firmy? Zapalonym kolekcjonerem albumów z sielankowymi pejzażami? Najmłodszym synkiem kochanej mamusi? Cichym wielbicielem świniarek? Skorym do żartów kumplem Debeściaka? Odpowiedzialnym panem domu? Wiernym mężem, szukającym drogi wyjścia? Uśmiechniętym sąsiadem z naprzeciwka? Który „ja" w pełni by ją usatysfakcjonował?

– Skoro zdecydowaliśmy się na wspólny tydzień – ciągnęła Brzytwa – szkoda go marnować na durne gierki i podchody. Dlatego wolałabym, żebyś się tak nie kontrolował. Jeśli coś cię złości, to mi powiedz. Na pewno nie dostanę histerii. Jeśli chcesz coś wiedzieć, pytaj. Przecież mówiłam ci na początku, że powinniśmy się lepiej poznać. Dzięki temu szybciej dotrzemy do sedna problemu.

– Mówiłaś – przyznał.

– Więc korzystaj z danego ci prawa, póki możesz. Jeśli będziesz za bardzo wścibski, to ci nie odpowiem, po prostu.

Fiotroń przygryzł usta, mierząc się sam ze sobą.

– Nurtuje mnie – wydukał wreszcie – z czego właściwie się utrzymujesz, bo przecież ta praca w Wesołym Ogórku...

Nie o to chciał zapytać, ale już trudno. Babcia zawsze mu powtarzała, żeby nie sięgał po najsmaczniejsze kąski. Byłaby teraz zadowolona, widząc, że jej nauki nie poszły w las. Szkoda tylko, że Fiotronia wcale to nie cieszy. Wolałby się wykazać większym, jakby to ująć, apetytem.

– E, tam praca. – Skrzywiła się Brzytwa. – Jeśli już, to raczej terapia.

– Ćwiczenia manualne?

– Jakbyś zgadł – zażartowała. – A na poważnie, ćwiczenia owszem, ale nie chodzi o rękę. Raczej o głowę i o serce. Zależy, gdzie szukać problemu.

– Oswajasz lęk przed nowymi osobami? – zaryzykował.

Brzytwa krzywo się uśmiechnęła, nie rozwijając tematu. W tej sytuacji nie będzie pytał o ulotki ani o przesłuchanie.

– A poza tym masz jakąś stałą pracę? – zmienił temat. – Czy jesteś rencistką?

– Rencistką? – parsknęła. – Strasznie krążysz koło tej mojej ręki, więc chyba pora, żebym ci parę rzeczy wyjaśniła. To był głupi wypadek. Zwykły pech. Jedni trafiają w Totka, ja trafiłam na zestresowanych strajkami milicjantów.

– Ale ulotki nie wzięły się z księżyca.

– Moja siostra zrobiła je z kolegą, tym, co prowadzi teraz Wesoły Ogórek. Dostała wtedy pod choinkę „Małego drukarza" i postanowili się powygłupiać.

– W jakim celu?

– Znudziły im się zabawy w doktora albo strzelanie z łuku do bałwanów – Brzytwa wywróciła oczami. – Nie wiesz, czemu ludzie się bawią? Żeby fajnie spędzić czas! Więc machnęli paręnaście kartek ze zjadliwymi wierszykami o władzy i wrzucili mi do torby, udając opozycjonistów. Kiedy ojciec wrócił ze sklepu, wzięli się za rosyjski, zapominając o ulotkach. Wieczorem wyszłam na ognisko plastyczne, z torbą pełną „bibuły". Po drodze spotkałam dwóch rozdrażnionych smerfów i w zasadzie to wszystko.

– Ale przecież...

– Zawsze płaci ktoś inny, nie wiedziałeś? – Wzruszyła ramionami. – Za ciebie także, być może nawet w tej chwili. Dlatego postaraj się, kolego, żebyś za chwilę nie skręcał się z żalu.

– Nie wiem, co mógłbym...

– Pogadaj z żoną. Ofiaruję ci w tym celu jeden piękny wiosenny wieczór.

Dionizy westchnął. „Pogadaj z żoną". Gdyby wiedział, jak to zrobić, nie szukałby pomocy Brzytwy.

– Próbowałem w ostatnią sobotę – przypomniał.

– O, nie – sprostowała Brzytwa. – W zeszłą sobotę, mój drogi, traktowałeś Szarlotę jak obiekt badań. Teraz chcę, żebyś potraktował ją jak człowieka. Najwyższa pora.

– Nigdy nie traktowałem jej inaczej!

– Naprawdę?

– Po czyjej jesteś stronie? – zirytował się Fiotroń.

– Choć trudno ci w to uwierzyć, po twojej. Dlatego proszę cię, żebyś nie odkładał tej rozmowy. Bo będzie szczypało – postraszyła.

– Może jeszcze mi podpowiesz tematy rozmów? Wakacje? Pusta szafa czy może kochanek?

– Kochanek? – Brzytwa zaśmiała się krótko, zaraz poważniejąc. – Niechętnie odwołuję się do przykładów z własnego życia, ale tym razem ryzyk-fizyk. Jakiś czas temu tkwiłam w całkiem udanym związku. No wiesz – wyliczyła beznamiętnie – mieszkanie na osiedlu Piaski Nowe, wspólny samochód, własna garderoba, pełna lodówka i gęsto umeblowany salon, dla gości. A ponadto przyjemna atmosfera, także dzięki nowym odświeżaczom do powietrza. W naszym gniazdku panowała harmonia. Po roku drobnych tarć osiągnęliśmy kompromis na wszystkich polach. Staliśmy się tak zgodną parą, że prawie nie potrzebowaliśmy słów, by się porozumiewać. Mój wybranek miał siedem zalet, na wszystkie siedem dni tygodnia. Nie pił, nie palił, nie śmiecił, nie wszczynał awantur, nie robił długów i nie opowiadał starych nudnych kawałów, a ponadto nie był wymagający. Wystarczyła mu żona na ćwierć etatu i pół gwizdka. Nagle, późną jesienią zaczęłam podejrzewać, że może on zaangażował się gdzie indziej, dlatego tak mi odpuszcza. Powinnam to wyjaśnić, porozmawiać, powtarzałam przed lustrem każdego ranka. Ale jak? Przecież prawie nie rozmawiamy. Poza tym, tłumaczyłam sobie wieczorem po kolejnym dniu w ciszy, nie jestem gotowa na zmianę. Nawet nie wiem, gdzie leżą plecaki.

Pewnej nocy w mieszkaniu dwa piętra wyżej wybuchł pożar, od wadliwie założonej instalacji. Straż ociągała się z przyjazdem, więc zaczęliśmy się pakować. Rozglądając się po swoim-nieswoim pokoju, zrozumiałam, że wszystko, co ważne, mam już w torbie. Fotki z dzieciństwa, dokumenty, kubek po babci, trzy ulubione książki. I nowy sweter z promocji, atrakcyjny dlatego, że jeszcze w celofanie – lekko się uśmiechnęła. – A reszta? Reszta nie ma znaczenia! Poczułam wtedy, jakby ktoś rozpiął mi obrożę. Biegnij, powtarzałam sobie, biegnij, zanim zapomnisz, że jesteś wolna. No i pobiegłam. Potem oczywiście miałam wyrzuty jak stąd na Saturna i z powrotem. Na szczęście właściciel budy i łańcucha szybko się pocieszył sąsiadką z parteru. Ale w sądzie opowiadał, że zostawiłam go samego w zagrożonym pożarem mieszkaniu. W obliczu takiej nielojalności domaga się rozwodu z mojej winy. No i OK, wzięłam na klatę, pokrywając wszystkie koszty. Miałam potem dwa lata ekonomicznego półcienia, ale było warto. Powiem ci więcej, nie przepłaciłam ani złotówki.

– A pudła?

– Przypominają, że w gruncie rzeczy łatwo się zebrać, nie czekając na armagedon. Wiesz, dlaczego ci to wszystko opowiadam? Żebyś porozmawiał z żoną. Jej decyzji już nie zmienisz. Ale przynajmniej będziesz mieć czyste konto, kiedy odejdzie.

– Odejdzie? – żachnął się Fiotroń. Spodziewał się zdrady, nielojalności, ale nie czegoś takiego! – Gdzie odejdzie? Przecież to ja miałem...

– Świetnie! – przerwała mu Brzytwa, głośno bijąc brawo. Nie wiedział jemu czy samej sobie. – Wreszcie się odważyłeś!

*

„Ty krętaczu! Myślisz, że znalazłeś sobie naiwną?" „Manipulowałeś mną od samego początku!" „Żałosny dupek, którego nie stać na odrobinę uczciwości". „Oszukujesz siebie, mnie i własną żonę". „Ile jeszcze kłamstw przechowujesz w swojej wypasionej aktówce?" – spodziewał się, że zaleje go deszczem pretensji niczym zdradzona kochanka. Nawet by się nie bronił; to... całe wyznanie zaskoczyło go bardziej niż Brzytwę. Gdyby tydzień temu ktoś powiedział Fiotroniowi, że szuka pretekstu do rozstania, natychmiast by go wyśmiał. Pretekstu? Chce tylko poznać prawdę!

– Mówisz masz. – Brzytwa pstryknęła palcami, zamykając temat.

– To wszystko? – wyjąkał, zdumiony.

– Nie masz dość rewelacji na dziś? – Odwrócił wzrok. – A zatem, skoro już doznałeś oświecenia...

– Oświecenia? – krzyknął. – Nadal nie mam pojęcia, co się dzieje z Szarlotą!

– Jeśli tak cię niepokoi zachowanie własnej żony, po prostu ją zapytaj.

Świetna rada i to z ust osoby, którą zwlekała z wyprowadzką do ostatniej chwili.

– Właśnie dlatego wiem, że nie warto czekać – przyznała. – Pora, żebyś i ty ruszył z miejsca.

Niby jak? Skoro sam nie oswoił się jeszcze z myślą, że chce odejść, nie bacząc na winę Szarloty. Owszem, chciałby się uwolnić, ale świadomość, że zostawi żonę z tym wszystkim, że ją po latach zawiedzie... cóż, bardzo to niekomfortowe, zważywszy złożoną mu kiedyś obietnicę. „Możesz na mnie polegać jak na szwajcarskim scyzoryku z dożywotnią gwarancją", powiedziała tuż po zaręczynach. „Ciekawe, gdzie znajduje się punkt napraw", zażartował wtedy. Szarlota odparła, że to niepotrzebne. „Awarii nie będzie". Byłoby mu znacznie lżej na duszy, gdyby szwajcarski scyzoryk okazał się marną wietnamską podróbką. Ale tego nie udało Brzytwie udowodnić. Co gorsze, zamiast obnażyć Szarlotę, dobrała się do niego. A potem wysłała go do domu, polecając, by wreszcie zaczął walczyć. Przynajmniej o siebie.

– Zrób chociaż pierwszy krok: z utartej ścieżki na zieloną trawę – poradziła, odprowadziwszy Fiotronia do auta.

Na początek poukłada myśli, postanowił, wychodząc do kuchni po butelkę wina. Skołtunione jak wełna świniarek, zażartował, poważniejąc na myśl, że w razie czego będzie musiał powiadomić wszystkich znajomych. Biorąc winę na siebie. Znajomych, dalszą i bliższą rodzinę. I wreszcie matkę, jej również należy się parę słów wyjaśnienia. Przynajmniej czymś ją zaciekawi, stwierdził Fiotroń, bawiąc się korkociągiem. Na ogół nie miał tyle szczęścia; ledwie zaczynał opowiadać o swoich problemach, matka ziewała w słuchawkę, pytając, co jadł na kolację. A potem, jakby nigdy nic, streszczała mu ostatni odcinek ulubionego serialu. Pierwszego, drugiego, trzeciego i pozostałych jedenastu. Jeśli dojdzie do rozwodu, może choć raz wygra batalię o ucho matki z wytrawnymi scenarzystami *M jak Miłość*.

Zabawne, że rozmyśla o rozwodzie, siedząc u boku niczego nieświadomej żony. Czy powinien burzyć jej spokój, skoro nie jest jeszcze pewien, co zrobi? Owszem, chciałby odejść, ale to jeszcze nic nie znaczy! Tylko naiwni wierzą, że chcieć to móc. Na ogół kończy się na samym pragnieniu. Czy jest sens niepokoić Szarlotę już teraz? – zastanawiał się Fiotroń, obserwując żonę zatopioną w lekturze *Świata zabawy*. Jej ulubiona książka, obok powieści Ishiguro i japońskich opowiadań. Kobieta samuraj, powtórzył za Brzytwą. Cóż, jemu Szarlota przypomina raczej bohaterki z powieści Edith Wharton. Elegancka, świetnie ubrana (nawet w domowych pieleszach), umie się znaleźć w każdej sytuacji, a z jej twarzy nie da się wyczytać niczego.

– Koniec na dziś – oznajmiła, gasząc lampkę.

– Idziesz już spać? – Nagle poczuł niepokój. A może niedosyt, że jednak nie zdążył zrobić kroku, o który prosiła go Brzytwa.

– Posiedzę jeszcze w gabinecie. Obiecałam Darii, że zamówię maski algowe przez Internet. Jutro mogłabym nie zdążyć. Zapalić ci światło? Czy wolisz siedzieć po ciemku?

Wyszła, zostawiając Dionizego w ciemnym salonie. Poczekał chwilę, wpatrzony w półkę z książkami, potem wyłączył telewizor i poczłapał do swojej pracowni. Powinien przejrzeć raporty ze szkoleń, obiecał to Debeściakowi. Ale jakoś nie może się skupić, wiedząc, że tuż obok za ścianą siedzi jego żona. Co teraz robi? O czym myśli? Czy jest szczęśliwa? Zabawne, to tylko cienka warstwa gips-kartonu, a jesteśmy od siebie tak oddaleni, pomyślał Fiotroń, przypominając sobie opowieść Bereta.

– Byśmy razem zamieszkali – Beret ponowił propozycję. – Mój kot już u ciebie jada i leżakuje.

– *Przecież prawie mieszkamy* – odparła Brzytwa.
– *Nawet balkon mamy wspólny.*

– *A ścianka?*

– *Atrapa ze starych desek i sitowia* – machnęła ręką, lekceważąco. – *Równie dobrze można by ustawić parawan.*

– *Coś wam opowiem.* – *Beret rymnął na łóżko Brzytwy, podkładając sobie jasiek pod głowę.* – *Niecałe trzy lata temu, zanim się tu wprowadziłaś, Polka, klatkę obok umarł sąsiad. Nagle, ponoć na serce, tak mówili pod blokiem. A że mieszkał sam, to się nikt nie dowiedział. Wprawdzie pies sąsiadki obok wył okrągły tydzień, ale kto by na to zwracał uwagę. Tu cały czas ktoś wyje. Głodne dziecko, zbita żona, szwagier na kacu. Albo marcowe koty.*

– *Nie czuliście smrodu?*

– *Czasem zawiało, ale każdy machnął ręką, że niby gołąb. Zdechł, to i śmierdzi. Żadna tragedia. Po tygodniu przyszedł listonosz, znajomy sąsiada. Puka, dzwoni, nic. To zgłosił do spółdzielni. Ale zanim otwarli drzwi, parę dzionków minęło. Wchodzą do środka, trup. Więc afera na pół osiedla. Mnie zaraz postawili na baczność, dziennikarzy ściągnęli, kamery. I dawaj, kręcić program o znieczulicy. Dorwali Siemaszkową, co mieszkała z sąsiadem przez ściankę działową. I pytają, czemu nic nie widziała, niczego nie czuła. Przecież to dwa metry od jej łóżka. A ona na to: właśnie bez tę ścianę. Dzięki Bogu, że jest, bo byśmy dawno powariowali.*

– Ściana to ściana – zakończył Beret. – Nawet jeśli zbudowano ją z tektury.

Ściana to ściana, powtórzył Dionizy, nie stoi bez powodu. Zawsze nas przed czymś chroni albo izoluje. A czasami dzieli, pomyślał i nagle naszła go chętka, żeby zastukać. „Co robisz?" zapyta żonę. Co potem? Spróbuje zejść na zieloną trawę?

*

Jeśli ktoś latami trenował wyłącznie angielskiego walca, nie wyskoczy nagle z dziką sambą, nie ma takiej możliwości. Fiotroń nie jest nawet przekonany, czy to potrzebne. Zdaniem Brzytwy i owszem, ale weźmy ją samą: niby szczera, wygadana i do przodu, a jednak, kiedy Dionizy podpytywał o terapię, szybko ucięła temat. I ktoś taki wymaga od swojego klienta polityki szeroko otwartych drzwi? Niech najpierw sama popracuje nad otwartością. To jej właśnie powie, jak tylko się spotkają, postanowił, zerkając na zegarek. Miała tu być o dziewiątej, ale jak zwykle się spóźnia. Pewnie się zagapiła, jak to ona, albo jej przedpotopowy węgierski zegarek rozpadł się wreszcie na części pierwsze. I tak wytrzymał nad podziw długo. Fiotroń miał podob-

ny w liceum, dostał w prezencie za świadectwo
z czerwonym paskiem.

*Cóż to był wtedy za bajer. Jedyny taki „elektronik"
na ich osiedlu, nic dziwnego, że zazdrościli mu wszyscy
koledzy (poza Debeściakiem, wtedy nieszczęśliwie za-
kochanym w pani od rosyjskiego). Po pierwszym roku
studiów Dionizy zmienił zegarek na szpanerską omegę z Tajwanu. Była to jedyna podróbka, którą sobie
sprawił. No, chrząknął zakłopotany, nie licząc dwóch
par koreańskich wranglerów. Ale nosili je wszyscy, li-
czący się w rankingach towarzyskich koledzy. Fiotroń
nie mógł odstawać od reszty; outsiderzy przegrywa-
ją już na starcie. Spędził więc wakacje, zrywając na
akord wiśnie, jabłka, maliny i mocno pryskane pomidory. Z powodu tych ostatnich dostał straszliwej wy-
sypki, ale co zarobił, to jego. Może nie do końca; zaraz
wydał wszystko na „pozłacaną" omegę, fałszowany
koniak oraz krzywo skrojone wranglery. Cały towar
zamówił u Bonza, największego wodzireja i spryciarza
rza w miasteczku studenckim. Podszedł na przerwie
między zajęciami, poprosił od razu o dwie pary i wy-
łożył pieniądze z góry, bez targowania. Jego pozycja
uległa natychmiastowej poprawie; zaczęto zapraszać
Fiotronia do pobliskich pubów, pozwalając, by fundował wszystkim piwo. Fundował więc, zyskując przede wszystkim przychylność barmanów oraz krótką*

sympatię niektórych koleżanek. Najładniejsza z nich, Sandra, pozwoliła się nawet wymiętosić na parkowej ławce, ale zaraz zapałała uczuciem do bardziej efektownego kolegi z Emiratów. Dionizy spotkał ją po studiach i odetchnął z prawdziwą ulgą, że ominęło go TYLE szczęścia. Natknął się również na Bonza, tuż przed wyjazdem do Krakowa. Dawny obiekt westchnień połowy roku (i kilku wykładowców) mókł teraz na deszczu, usiłując sprzedać tandetne podróbki adidasów. Dionizy przywitał się, ze zdziwieniem odkrywając, że nie pamięta imienia byłego idola. Kto by pomyślał! Przez chwilę zastanawiał się, czy nie kupić jednej pary, z litości, ale wtedy nosił już tylko oryginały.

Tak jak dziś. Żadnych falsyfikatów, żadnych namiastek. Brzytwa może szydzić z kultu etykietek, ale nie zmieni świata. Zawsze będą jakieś metki, doczepiane nawet do ludzi i zwierząt. Będą, bo dzięki nim łatwiej dokonać słusznego wyboru.

Ale wolałby porozmawiać o czym innym. Szkoda czasu na sprzeczki, zwłaszcza że zostały im tylko dwa dni, nie licząc tego wtorku. A Brzytwy nadal ani śladu, mruknął, znowu sprawdzając godzinę. Jeszcze nie minął kwadrans akademicki (cholerne krakowskie zwyczaje), musi więc uzbroić się w cierpliwość, robiąc porządek w esemesach. Przejrzy gazetę, kupi siedem biletów, zje precla i wreszcie zerknie na zegarek. Wpół do dziesiątej. Co teraz? Mógłby odwiedzić Brzytwę, ale czy to wypada bez zapowiedzi?

Kiedy Fiotroń chodził do szkoły, kumple często robili mu naloty. Wpadali po zadania albo ot tak, z czystej sympatii. Wymienili między sobą parę świńskich kawałów, kilka szturchnięć, wzniecając krótką burzę śmiechu i już ich nie było. Ale w obecnych czasach zaskakiwanie gospodarza to gruby nietakt, nawet jeśli wjeżdżasz tylko do kuchni, na cienką herbatę. Dlatego Fiotroń zawsze stara się umawiać co najmniej parę dni wcześniej. Jak do dentysty. Tego samego oczekuje od znajomych. Nie o to chodzi, że muszą z żoną wysprzątać pokoje. W ich mieszkaniu panuje wzorowy porządek. A jednak zawsze trzeba się przygotować, eksponując gadżety, które zadowoliłyby konkretnego gościa, i chowając takie, które mogłyby wywołać niepotrzebne plotki. A zatem, jeśli odwiedza ich matka Dionizego, wieszają nad drzwiami wielgachny krzyż z szamotu, wynosząc do garażu kasety instruktażowe i kontrowersyjne zabawki. Jeśli przychodzi Debeściak, Fiotroń wykłada na biurku (i w łazience) pikantne pisma dla nowoczesnych mężczyzn. Przed wizytą znajomych z pracy chowają wszelkie dewocjonalia, nachos z Tesco oraz kasety z adaptacjami Jane Austen. A jeśli wpada sąsiad, rozmawiają na korytarzu. Pomijając zmianę dekoracji, Fiotroń lubi się przygotować emocjonalnie. Ustalić wstępnie plan spotkania, wstawić do lodówki białe wino i w zakamarkach gabinetu wziąć kilka głębokich oddechów. Może Brzytwa też potrzebuje paru chwil wyciszenia? A z drugiej strony, jak szanować jej potrzeby, skoro tak go zlekceważyła, nie przychodząc na umówione spotkanie. W tej sytuacji Fiotroń ma chyba prawo niepokoić ją bez uprzedzenia. Oczywiście i zaraz z niego skorzysta, zdecydował, maszerując w stronę ulicy Zamojskiego. Kwadrans później stał przed drzwiami Brzytwy, na drugim piętrze po lewej. Zdyszany i, niestety, mniej pewny swoich racji. Co teraz? Dzwonić, pukać? Gdyby mógł, wysłałby ostrzegawczy esemes. Ale niestety. Brzytwa należy do tych żałosnych dinozaurów, które bronią się przed technicznym postępem. Bez telefonu, komputera, skazane na wymarcie, a wcześniej na porażkę, sierdził się Fiotroń, zacierając spocone dłonie. Zegar na pobliskiej wieży wybił dziesiątą. Cała godzina do tyłu, dosyć tego! On, Dionizy, specjalista od nowoczesnych technik zarządzania czasem nie może pozwolić na dalsze marnotrawstwo. Zirytowany zapukał.

– Kto?

– Dionizy. Byliśmy umówieni na dziewiątą.

– Cholera, zaspałam. Beret! – wrzasnęła na całe piętro kamienicy. – Czemu dziś nie było Goryli? Prąd wysiadł?

– Wziąłem sobie do serca gadki twojego nowego – burknął Beret. – I nie będę się więcej narzucał. Może wtedy rozważysz moje oświadczyny.

– Słuchaj – Brzytwa zwróciła się do Dionizego. – Mógłbyś skoczyć po kefir albo coś w tym stylu? Chłodne, kwaśne i z przyjaznymi bakteriami. A ja się trochę ogarnę, bo teraz w proszku jestem jak kisiel. Daj mi kwadrans i już będziemy rozmawiać po ludzku.

Niezadowolony podreptał do najbliższego spożywczaka. Dziwna dzielnica. Mnóstwo komisów, lombardów, tu i ówdzie siłownia, za to księgarni ani na lekarstwo. No tak, miejscowy proletariat ogranicza się do lektury tytułów gazet wyeksponowanych na wystawach kiosków, pomyślał Fiotroń, uświadamiając sobie ze wstydem, że on sam czyta głównie skład dietetycznych słodyczy. Ale to dlatego, że od jesieni przeżywa trudne chwile. Jak tylko wyjaśni parę spraw, znowu wróci do poradników. Może nawet sięgnie po jakąś powieść? Najlepiej z motywami bukolicznymi. Chata kryta strzechą, stare wierzby nad strumykiem, w zagrodzie smukłe owce (ideałem byłyby świniarki), a w tle jakaś niezobowiązująca akcja. Właściwie mogą być same opisy przyrody. Gdyby trafił na taką powieść, czytałby ją codziennie po przebudzeniu. Musi poszukać na Allegro, postanowił, prosząc o cztery kefiry. Zapłacił i nie czekając na resztę, pobiegł z powrotem. Brzytwa otworzyła mu odziana tylko w przydługi podkoszulek.

– Może poczekam na klatce, aż skończysz – zaproponował, podając jej przez próg reklamówkę z kefirami.

– Co niby mam skończyć?

– No, ubierać się i w ogóle – odparł, dyskretnie odwracając wzrok.

– Przecież jestem ubrana! Tak właśnie chodzę po domu. W podkoszulku Bereta i w jego bokserkach. Nie bój się, wszystko wyprane – rzuciła, zawstydzając Fiotronia do reszty.

– Nie to miałem na myśli – tłumaczył się zakłopotany. – Po prostu sądziłem, że chcesz się jakoś przygotować. Makijaż, fryzura...

– Helou! Czy ty mi się dobrze przyjrzałeś? Przecież ja się wcale nie maluję!

Fiotroń parsknął. Szarlocie mógłby jeszcze uwierzyć, ale nie Brzytwie. Z takimi kreskami nie rodzi się nikt, przynajmniej po tej stronie Mlecznej Drogi.

– To jest makijaż permanentny. Coś jak tatuaż, tylko zmywa się po paru latach. Dokładnie po dwóch, choć reklamy obiecują cztery. Szarlota z pewnością ma go w swojej ofercie.

– Makijaż permanentny? – powtórzył. Nigdy by nie podejrzewał Brzytwy o takie inwestowanie we własny wygląd. Co prawda całokształtu to nie zmienia, ale może robi wrażenie u selekcjonerów dyskotek. Ci lubią efekty specjalne.

– Gdybym miała się sama pomalować, przebiłabym se oko przy pierwszym podejściu. Dlatego wolę nie ryzykować. Dobra, rozczeszę jeszcze sitowie, a ty rozlej nam kefiry do kubków. Beret – ryknęła znowu – chcesz łyka?

– Wciągnąłbym, czemu nie. W zamian poczęstuję was herbatą. Dzisiaj mam miętową. I chciałem przy okazji oznajmić, że babcia już przyjechała. O ósmej rano. Wniosłem jej na górę torbę, przy okazji wysłuchując opowieści o wspaniałej kandydatce na panią Beretową. Mieszka na górce i ma dostęp do strumyka. Co ty na to?

– Super, żeń się, będziemy mieli gdzie moczyć nogi.

– Jutro przenoszę materac – oświadczył Beret, ładując się do pokoju Brzytwy przez balkonowe okno, jak zwykle.

– Przecież wiesz, że to wynajęty lokal. W każdej chwili mogę go stracić.

– Słyszę to od dwóch lat – parsknął. – Od samego początku powtarzasz, że lada chwila już cię tu nie będzie. A fakty są takie, że przypasowałaś właścicielce jak nikt wcześniej. I na pewno cię stąd sama nie wyrzuci. Nie ma bola!

– Wolę zakładać, że za moment czeka mnie przeprowadzka.

– Nawet za dziesięć lat...

– Przestań! – krzyknęła Brzytwa, wstając z krzesła.

– Nie chcę tego słyszeć, rozumiesz? Nie chcę i już! – powtarzała, nerwowo przechadzając się po pokoju. Jak tygrys w przyciasnej klatce.

– No dobra, sorki, przesadziłem. – Beret usiłował poklepać ją po ramieniu, ale odepchnęła jego dłoń. – To ja już pójdę do swojej nory. Radziłbym pośpieszyć się z babcią, zanim się wprosi na śniadanie do Forresterów.

Brzytwa skinęła dłonią na Fiotronia, żeby jej towarzyszył. Chwilę później znaleźli się w łazience.

– Siądź sobie wygodnie – postukała palcem w deskę klozetową – a ja spróbuję ją zwabić na przedwojenne frykasy. „Panie i panowie!" – ogłosiła całej kamienicy, wypinając wątłą pierś – „A teraz atrakcja wieczoru – nasza urodziwa, krajowego wyrobu Mae West.

Wy jesteście mocni – silni, my słaba płeć,

lecz my mamy coś, co byście wy chcieli mieć.

Co jest warta wasza siła, wasza pięść i twarda dłoń?

My kobiety, choć słabiutkie mamy na was jedną broń..."

Urwała nagle, zdziwiona.

– Zwykle działało. To może dla odmiany zapodamy *Zimnego drania*?

Oparła chudą nogę o brzeg starej żeliwnej wanny, poprawiła kok, który zjechał jej nad lewe ucho, i zaczęła niskim głosem:

„Moja niania nad kołyską tak śpiewała mi co dzień,
że zdobędę w życiu wszystko i usunę

                       wszystkich w cień,

no i prawdy była blisko, ale w tem jest właśnie sęk,
że chodzę sobie, nic nie robię i to jest mój wdzięk..."

– Będę potrzebowała wsparcia w refrenie – zwróciła
się do Fiotronia, szeptem. – Znasz tekst oczywiście.

– Ja? – wyszeptał. – Ale dlaczego?

– Chórek ma większą siłę rażenia.

Do czego to doszło, jęknął Fiotroń, przegryzając sobie kciuk niemal na wylot. Ma śpiewać stare szlagiery
w cudzej łazience? To ponad jego znikome możliwości! Nawet podczas Pasterki Dionizy nuci z playbacku,
poruszając ustami niczym błazenek okoniowy. Teraz
zrozumiał, czemu nikt nie wraca do Brzytwy z nową
sprawą. On również nie skorzysta więcej z jej pomocy.
Gdyby tylko wiedział wcześniej, że czekają go tak upokarzające chwile, nigdy przenigdy nie zgodziłby się na
ten tydzień!

– A nie możemy do niej pójść jak ludzie? Bez urzą-
dzania zasadzek?

– Sądzisz, że staruszki zapraszają na herbatkę każdego, kto im się nawinie na wycieraczkę? Ha ha! Słuchaj! – Spoważniała nagle. – Mieszkam tu od roku i jak
dotąd oswoiłam dwie osoby. Uważam to za spory sukces towarzyski.

– Myślałem, że w starych kamienicach panują cieplejsze stosunki – zdziwił się Fiotroń.

Skoro już mowa o starych kamienicach, cóż, wyobrażał je sobie zupełnie inaczej. Grube, solidne mury, żadnych ścianek działowych, absolutna cisza i sąsiedzi jak z serialu *Dom*. Idziesz na chwilę po sól do zupy, wracasz dwie godziny później, z trzydaniowym obiadem w żołądku.

– Helou, Ziemia do Dionizego! – Pstryknęła mu nad uchem. – Jedziemy?

– Nie wiem, czy cokolwiek wycisnę – jęknął Fiotroń.

– Już wolałbym...

Wrócić na Marsz Tolerancji przebrany za ogromnego tęczowego penisa. Niestety taka opcja nie wchodzi w grę w tym roku. A w przyszłym jego życie będzie wyglądać zupełnie inaczej. Żadnych marszów, Brzytew i Tygodnia Absurdu.

– A może po prostu poklaszczę. Zagram na grzebieniu! Albo już wiem – podjął ostatnią rozpaczliwą próbę ucieczki – pobiegnę do pana Bereta i poproszę, żeby sprowadził babcię tutaj, na dół.

– Nie! – wrzasnęła Brzytwa, zdenerwowana. – Żadnych ruchów!

Powinien teraz wstać i wyjść, bez słowa. Trzasnąć drzwiami i szlus, wszystko skończone! Tylko co potem? Do kogo zwróci się o radę? W krzepiących powieściach na lato bohater ma zawsze stado przyjaciół gotowych na wszystko. Oblegają jego salon, w oczekiwaniu na nieszczęście. Zdrada? Świetnie! Kłopoty w łóżku? Znakomicie! Nowotwór ucha? Bomba! Wreszcie będą mogli się wykazać. Przytulą, wysłuchają, zrobią gorącą czekoladę, podzielą się prozakiem i oddadzą własną sofę. Na wieczne użytkowanie. Po lekturze podobnych słodkości (pożyczonej z biblioteczki Debeściaka) Fiotroń czuł się pięć razy bardziej samotny niż w zwykły deszczowy poranek. Uświadamiał sobie, że ma przy sobie tylko Debeściaka. Resztę przyjaźni pokonało wojsko, małżeńskie porażki i sukcesy zawodowe. Ostatnią, zawartą jeszcze w liceum, zabiła joga.

Zapisali się z Radziem do mistrza ashtangi, żeby rozciągnąć mięśnie grzbietu. Zajęcia były bolesne w przyjemny sposób, grupa mała, a instruktor popisywał się tylko podczas brzydkiej pogody. Za to dojazdy: koszmar z ulicy wiązów. Czego zresztą oczekiwać, jeśli człowiek chce się przebić przez centrum w piątkowe popołudnie. Ale Radzio uznał, że to lepsze niż tłuczenie się w taksówce.

– Szybciej byśmy dotarli na piechotę – nieśmiało zasugerował Fiotroń, usiłując od trzech minut wyprzedzić bus nażarty umączonymi pracownikami pobliskiej cukierni.

– Ale w jakim stanie – parsknął Radzio. W końcu cztery kilometry wzdłuż ruchliwej dwupasmówki to

nie bułka z masłem, nawet dla zapalonego jogina. – Guru tłumaczył nam chyba, ile energii wymaga aktywna praktyka asan.

– Tłumaczył – zgodził się Fiotroń, zerknąwszy na zegarek. – No, został kwadrans. Tramwajem to byśmy zdążyli, a tak...

– Już to przerabialiśmy. Ścisk, zgiełk, chaos i mnóstwo negatywnej energii! Jak potem medytować? Jak wykonać prawidłowo Urdhva-kukkutasanę?

– Rowerem też pewnie zbyt wielki wysiłek? – ciągnął Fiotroń i natychmiast włączył lewy kierunkowskaz.

– Mój drogi – uniósł się Radzio. – Jeśli moje towarzystwo męczy cię tak bardzo, że nie możesz wykroić jednej głupiej godzinki w tygodniu...

– Przecież jedziemy. Zastanawiałem się tylko, czy nie byłoby wygodniej, gdybym ja pojechał tramwajem, a ty...

– Nie mam prawa jazdy, człowieku!

– Ale kto powiedział, że nie możesz zdawać po raz dziesiąty?

Czy Dionizy zawsze musi mu przypominać największą traumę od czasu matury? I to właśnie teraz, kiedy Radzio usiłuje wygładzić stargane stresem komunikacyjnym nerwy. Kiedy powinien duchowo się przygotować do „powitania słońca". A żona go ostrzegała, tak go ostrzegała. Pierwszy raz tuż po zaręczynach. *Zastanów się, kochanie,* prosiła, *żebyś potem nie płakał, żebyś nie żałował. Kolegów można mieć wielu, a ślubną tylko jedną. Gdyby jej posłuchał wtedy, siedem lat temu! Niestety zabrakło mu odwagi, żeby się odciąć od szkolnej przeszłości. Teraz ma za swoje!*

– Jeśli jeszcze raz poruszysz temat egzaminów, zobaczysz co się stanie, zobaczysz! – warknął Radzio, celowo nie podając żadnych konkretów; *nic tak człowieka nie nastraszy jak wytwory jego własnej wyobraźni.*

– Dobrze, już dobrze, przecież jedziemy, to znaczy stoimy na razie, ale...

– Pieprzony korek! Jedź, zielone, jedź, mówię!

– Gdzie niby, przecież...

– Do tego fiuta z lewej mówię. Zastygł jak budyń i myśli, że innym też się nie śpieszy!

– Ruszył wreszcie! – ucieszył się Dionizy.

– To teraz ta się rozkraczyła! – Radzio rozłożył ręce, niemal wbijając kciuk do ucha kumpla. – Ruszże ten odwłok, berecie jeden!

– Radziu!

– Bo nie mogę na to patrzeć! I kto im dał prawo jazdy! Zdają za pierwszym razem, nie tak jak... jak normalny człowiek. A potem sam widzisz! Korki, stłuczki, spanie na światłach. Ty też mógłbyś go pogonić, a nie, gapisz się jak mucha na słoik powideł! Trochę życia, człowieku! – *Zanim Fiotroń zdążył zareagować, Radzio walnął pięścią w klakson, z całych sił.* – No, obudziła się, krasula. *To teraz wiśta wio, zanim będzie czerwone. A ty za nią galopem! Co za łajza!*

– *Przecież muszę puścić ludzi do tramwaju!*

– *No oczywiście, kurtuazja dla całego świata. A własny kumpel dostaje nędzne okruchy!*

– *Takie są przepisy!*

– *Znowu mi przypominasz? Znowu?*

W tej samej chwili usłyszeli głuchy trzask. Poirytowany niespodziewaną przeszkodą emeryt uderzył parasolem w karoserię.

– Staje taki na pasach, wstydu nie ma! – *sierdził się staruszek, usiłując trafić w boczne lusterko.* – A człowiek schorowany przeciskać się musi!

– *To siedź w domu, jak ci źle!* – wrzasnął Radzio, *rozglądając się za drewnianą kostką do jogi.* – Zaraz mu tak przywalę, że wyskoczy z onuc.

– *Co ty, chcesz straż ściągnąć albo policję? Mało ci zamieszania?* – zdenerwował się Dionizy.

– *A co mi tu będzie parasolką machał przed oczami, pryk jeden? I to właśnie teraz, kiedy potrzebuję się wyciszyć? Zaraz dostaniesz!* – huknął w stronę staruszka, *który usiłował się ukryć wśród kurtek wypełniających pierwszy wagon czternastki. Radzio już miał nacisnąć klamkę, kiedy zapaliło się zielone. Ruszyli z piskiem opon.* – Zupełnie ci odbiło?

– *Myślałem, że wolisz jogę... ale jeśli bardziej odpowiada ci kickboxing, możemy jeszcze dziś wykupić karnet w Parku Wodnym.*

– *Nie zmieniaj tematu – warknął, odkładając kostkę na tylne siedzenie.*

Do konfrontacji nie doszło. Ale może i dobrze, bo jak się zastanowić, jednak szkoda sprzętu. Sprowadzali go aż z Indii, od samego mistrza Iyengara. Poszła na to cała ich świąteczna premia. Ale Radzio zawsze był zdania, że należy inwestować w towar porządnej jakości. Wiadomo, kto dziś zjada tanie, nafaszerowane hormonami mięso. Takie dziadki tramwajowe. Potem nosi jednego z drugim i szukają zaczepki w miejscach publicznych. – *Nie zmieniaj tematu – powtórzył.* – *Bronisz jakiegoś chama z zardzewiałym parasolem.*

– *Nikogo nie bronię.*

– *Bronisz, zamiast wspierać własnego kumpla. A wiesz, że to tylko nakręca spiralę agresji i...*

– *No to jesteśmy. Dwie minuty przed czasem –* oznajmił Fiotroń, sięgając do tyłu po worek jogina.

– *Mówiłem, że zdążymy? Ale ty mi nigdy nie wierzysz.*

Po miesiącu wspólnych dojazdów Fiotroń zrezygnował z dalszych zajęć. Urażony Radzio poprosił szefa, by go przeniósł na inne piętro. Rozpowiadał też niepokojące plotki o kondycji Fiotronia. Dionizy nawet nie próbował się bronić. Po prostu przestał po-

znawać kumpla na schodach. A sześć tygodni później przeprowadził się z Szarlotą do Krakowa. Z ulgą odciął się wtedy od starych znajomości, by nawiązać całkiem nowe. Równie nietrafione.

Z dawnych przyjaciół ostał się jedynie Debeściak. Skupiony na sobie Lans, który najpierw słucha jednym uchem, potem głupio komentuje te fragmenty, których ujawnienie przychodzi Fiotroniowi z największym trudem, następnie wtrąca opowieść o swoich kłopotach (trzy razy większych), by wreszcie wykpić się byle kartką z opisem zielebcowej baby. Tym samym skazuje kolegę na dziesiątki upokorzeń, wreszcie męczarnię w obskurnej łazience! Uświadomiwszy sobie nędzę swego położenia, Fiotroń poczuł, że jeszcze chwila i coś mu się stanie!

– Nie mogę! – zawył z rozpaczą w głosie.

W tej samej chwili usłyszeli dyskretne kasłanie, a zaraz potem do Fiotroniowego nosa doleciała przez lufcik niesamowita mieszanka zapachowa. Kozłek lekarski, tabletki z krzyżykiem, kiełkująca rzeżucha, cukier waniliowy, wykrochmalona pościel, kryzysowa tarta bułka i dwie szczypty naftaliny. Dionizy poczuł, jakby otworzono przed nim drzwi do pokoju ukochanej babci. Oszołomiony oparł się o drzwi łazienki, przymykając oczy.

– Może ja bym zaśpiewała zamiast pana? – zaproponowała staruszka. – Mój sopran bywa bardzo ceniony na kolacjach u księdza dobrodzieja.

– Ach, dzień dobry pani Lodziu, będziemy wdzięczni za pomoc. Ale przy następnej okazji.

– Polecam się w każdy dzień, poza czwartkami. Bo wtedy mam już inne zobowiązania.

– Oczywiście. A jak tam u Forresterów?

– Niedobrze, problemy. Już dawałam na mszę, żeby ten Ridge wreszcie zmądrzał. Żeby się określił. Jedna albo druga. Ale durnowatemu to nic nie pomoże. Nawet modlitwa.

– Niestety. A pamięta pani naszą sobotnią rozmowę?

– Ja bym miała zapomnieć? – obruszyła się staruszka, nieco zbyt gwałtownie. – Każde zdanie. Uczyłam cię, jak rozpoznać dobre ostrygi.

– No tak – skłamała Brzytwa. – A pamięta pani tę historię z jabłkami?

– Jak się nasz ksiądz dobrodziej zachłysnął? Cóż to były za emocje! Niczym na igrzyskach. Teraz stawiamy wyłącznie na ostrygi.

– Słusznie. A proszę mi powiedzieć, jak to było z tymi kosztelami – mrugnęła do Fiotronia – co je pani zrywała latem czterdziestego trzeciego.

– Kosztelami? Kochana, to papierówki były, robaczywe jak myśli mojego, świeć Panie nad jego duszą, małżonka. Papierówki do ciasta, na chrzciny Antosi, pierworodnej. Lepsza byłaby antonówka, ale w czas wojny nikt nie wybiera. Może jedna śmierć. Więc szłam po te papierówki, na, wstyd się przyznać, grandę. Był koniec lipca, war taki, choć dopiero dziewiąta rano. Ale czuło się w powietrzu nadchodzącą burzę.

– Nie mówiłam? – Brzytwa szepnęła do Fiotronia.

– Pamięć jak kryształ.

– Codziennie szlifowany – zdradziła pani Lodzia, bardzo zadowolona z komplementu. – Codziennie, nawet przez godzinkę.

– Naprawdę?

– O wszystko trzeba zadbać, kochaniutka, nawet jeśli dostaliśmy za darmo. Zawsze mi to powtarzała mamusia. Bardzo, świeć Panie nad jej duszą, roztropna kobieta. A ja nie z tych, żeby lekceważyć mądre rady. Od maleńkości byłam grzeczna i posłuszna. Bo kto nie słucha ojca, matki, ten słucha psiej skórki – zacytowała przedwojenną maksymę. – Ale mnie to nie było potrzebne. I patrzcie państwo, do czego doszłam w życiu. Osiemdziesiąt siedem lat, a pamięć kryształowa!

– Jak wygląda proces szlifowania? – zainteresował się Fiotroń.

– Codziennie, po wieczornej modlitwie siadam sobie na kuchennym stołeczku, sączę ziółka i wyliczam bohaterów *Mody na sukces*. Na samych Forresterów to mi schodzi ponad pół godziny.

– Niemożliwe!

– No tak, bo najpierw muszę podać imię, potem nazwisko, zawód, ilość żon, kochanek dawnych i obecnych. A także dzieci. Tu się można strasznie pomylić, ciągle coś wychodzi na jaw. Sekrety rodzinne! – wyszeptała przejęta. – Na przykład całkiem niedawno Ridge odkrył, że jego ojcem nie jest Eric, ale Massimo Marone. Mój Boże! Skandal na całą rodzinę! Oglądaliście, kochani ten odcinek? Puszczali koło Wielkanocy.

– Niestety, byliśmy bardzo zajęci malowaniem pisanek.

– Żałujcie! Takie emocje! Ja to nie spałam potem aż do rana, mimo ziółek. I teraz z wyliczaniem muszę bardzo uważać. Bo tyle lat człowiek pamiętał, że Ridge jest synem Erica Forrestera, a tu masz ci los, taka zmiana. I jeszcze żeby nie było dosyć, ciągle z tą Bridget kombinują. Raz niby jest córką Ridga, potem się okazuje, że jednak nie bardzo. A pierepałki z żoną, piękną Taylor Hayes? To ci dopiero hece. Najpierw ginie w katastrofie lotniczej, później gruźlica, po drodze jakaś śpiączka. Już się wydaje, że ma święty spokój, ale nie. Ci Amerykanie, potrafią wydrzeć człowieka nawet z zaświatów. Więc, jak mówiłam, mam co wyliczać. Na przykład Eric zajmuje mi co najmniej cztery minuty. A Ridge to nawet więcej, bo prowadzi bardzo rozwiązłe życie – wyjaśniła, nie kryjąc dezaprobaty.

– Straszna harówka – przyznał Fiotroń.

— Ale jakie efekty. O co byś mnie kochaniutki, nie zapytał, to pamiętam. Taką mam po Forresterach wprawę.

— A co z tymi jabłkami na chrzciny? — zaryzykowała Brzytwa.

— Ach, jabłuszka! No wybrałam się wtedy, w lipcowy poranek. Upał straszny, powietrze takie, że nożem można kroić, więc ledwo człapię. Mijam przystanek przy Plantach, a na nim tramwaj. I patrzcie kochani co się dzieje. Dziewczyna młoda, z osiemnaście lat. Ja też wtedy niestara byłam — wtrąciła pani Lodzia — dwadzieścia wiosen z górką, tyle że mężatka. Ale tamta panienka. Panienka, a już dzieckiem obciążona — powiedziała to takim tonem, że zaczerwieniły się nawet wentylacyjne rury. — No i wsiada do ósemki, państwo drodzy. A przecież nie wolno! Wsiada z dzieckiem i do oficera pyskuje. Tylko patrzeć, a tamten wyjmie broń z kabury i strzeli. Tramwaj już ruszył, ona staje naprzeciwko i dalej terkocze. Koniec świata! Żeby do oficera skakać, dziecko mu pokazywać? Że niby jego? W ósemce? Ja to nawet dzisiaj, jak tylko mogę, wolę dziesiątką jechać. Albo nawet trzynastką, takiego mam bojra. A ona, głupia, nic się nie bała. Na swoje nieszczęście. Bo zaraz drugi Niemiec nie wytrzymał i wypchnął dziewczynę razem z dzieckiem. Z pędzącego tramwaju, prosto na ulicę. Trachnęła tak, że buty to jej poleciały aż na chodnik. Przedwojenne jeszcze, ale wcale nie znoszone. Widocznie trzymała na lepsze okazje. Baba obok mnie zaraz je przyuważyła i mruczy: „Ciekawość, jaki to numer. Jej już nie potrzebne bidusi" – wyjaśniła. – „A ja bym miała do kościoła". Ale się z miejsca nie ruszyła, żeby sprawdzić. Bo to jednak strach. Nuż ci z tramwaju wrócą i jeszcze kogoś zastrzelą. Ale gdzie tam, ani się nie obejrzeli, kochana pani. A mogli chociaż karetkę wezwać albo jakąś pomoc. Bo ta dziewczyna, moi drodzy, to nie zginęła od razu. Młodego nie tak łatwo zabić. Żeby to za pokoju było, może by ją nawet odratowali, ale niestety. Pech to pech. Więc leżała, nieprzytomna, ściskając becik z niemowlęciem – westchnęła staruszka. – Nikt nawet nie drgnął. Ale co myśmy mogli zrobić, kochaniutka? No co? Ja zresztą zaraz podreptałam, bo to nieprzyjemnie umierającemu się przyglądać, nawet w wojnę. No i lepiej nie przyciągać złego; Niemcy nie lubili takich zbiegowisk. Więc poszłam, ale o papierówkach zupełnie zapomniałam. I tak mi się dostało od ślubnego małżonka, że... świeć panie nad jego duszą. Było, minęło, nawet już nie ściska w gardle. Byleśmy się nie spotkali na tej samej sali, to dobrze będzie. Ale Jezus obiecywał, że w domu Ojca jest mnóstwo pokojów, więc na pewno wszystkich dobrze ulokują. A nie tak, o, żeby kat koło ofiary siedział. Bo to nie po bożemu. Nie po bożemu.

Umilkła, mrucząc coś do siebie. Mieli się już pożegnać, kiedy sąsiadka nagle się ocknęła, wracając wspomnieniami do tamtego wojennego lata.

– A wiesz, kochaniutka, że te buty jednak znikły. Gwizdnął je taki jeden – ściszyła głos – Marchwińkiewicz. Dziecka nie ruszył, choć płakało, a buty zabrał.

– Takie były czasy, dla zuchwałych – odezwała się Brzytwa.

– A gdzie tam! Odważni i zuchwali giną w pierwszej kolejności. Może jednemu się uda, ale reszta w ziemi gnije.

– Ale ten Marchwińkiewicz...

– Wziął, bo był kryty. Na Polaków donosił, w gestapo swoje chody miał. Jaka to odwaga, kochani moi? A po wyzwoleniu pierwszy do ZBOWID-u poleciał. Po zapomogi! Dlatego powtarzam każdemu, kto tylko chce słuchać. Udaje się największym tchórzom. I tym, co się potrafią ustawić.

*

– I co ty na to?

Kiedy już minęło węchowe oszołomienie, Fiotroń ze zdumieniem odkrył, że staruszka pamięta tyle szczegółów. Jego ukochana babcia opowiadała czasem o wojnie, ale w sposób mało osobisty. Było ciężko, jadło się zupę na obierkach, spadały bomby. Niemcy nie byli tacy źli. Rosjanie to dopiero swołocz, kobiety chowały się przed nimi do piwnicy. Jeśli już wspomniała o konkretnej osobie, to zdawkowo. Że cudem ocalał, ale potem jednak zginął. Zapomniała się tylko dwa razy, przez zaskoczenie.

Mijali wtedy żebrzące rumuńskie dziecko, ze świętym obrazkiem w dłoni, całkowita nowość w polskim pejzażu. Babcia Fiotronia bardzo się przejęła tym widokiem.

– Mój Boże – wyszeptała, sięgając po wytartą skajową portmonetkę. – Zupełnie jak żydowskie dzieci. Wymknęło się toto z getta i żegnając się sto razy prosiło o chleb. Niektóre, starsze to klepały „Zdrowaś Mario" albo „Ojcze nasz". Szybko, nerwowo, byle pokazać, że umieją, że są nasze. I teraz to wróciło.

Drugi raz miał miejsce przy rondzie. Fiotroń odprowadzał babcię do Klubu Seniora. Czekali właśnie na zielone, kiedy do świateł podjechał TIR wyładowany ryczącymi krowami.

– Transporty śmierci, jeżdżą i nikt nie protestuje. W czasie wojny to chociaż chleb ktoś podał albo kubek wody – wyrwało się babci, ale zaraz umilkła przerażona.

Świadomość, że porównała Żydów do wiezionych na rzeź krów tak ją zawstydziła, że z tego zmieszania zaczęła kaszleć. Fiotroń już chciał wzywać pogo-

*towie, ale babcia odzyskała równowagę. Już nigdy
nie pozwoliła sobie na osobiste refleksje. Tylko: jadło
się, piło, pracowało, umierało. Jakby przykroiła własne wspomnienia do obowiązującego szablonu. Lepiej
niepotrzebnie nie zwracać na siebie uwagi, powtarzała zawsze, krzątając się po maleńkiej kuchni. Nawet
kiedy załatwili jej pomoc z opieki, w dniu ustalonej
wizyty babcia odkurzała całe mieszkanie.*

*– Przecież ma ci pomóc w sprzątaniu – cierpliwie
tłumaczył jej Dionizy. Ale babcia tylko kręciła głową.*

– Co myślisz o tej historii? – zapytała ponownie
Brzytwa.

– Nie wiem – odparł, zastanawiając się, jaka opinia
by ją zadowoliła. – Na pewno sporo wyjaśnia w kwestii
mojego teścia. Miał bardzo słabą więź z rodzicami. Zupełnie inaczej niż pozostali jego bracia. Teraz zaczynam
rozumieć, dlaczego.

– A z Szarlotą jakie miał relacje?

– Nie najcieplejsze – przyznał Fiotroń. – Co jest
o tyle dziwne, że zwykle chcemy wynagrodzić dzieciom
to, czego nie dostaliśmy za młodu.

– Jeśli wiemy, gdzie tkwi źródło niedosytu. Ale na
ogół powtarzamy wpojony nam wzorzec. Jeśli mnie łoi-
li, sam będę łoił. Jeśli mnie odrzucali, ja będę odrzucał.
Oko za oko, ząb za ząb, pieprzony łańcuszek rodzinne-

go szczęścia. Tylko wyjątkowe osoby potrafią się z niego uwolnić, na przykład rezygnując z rodzicielstwa.

– Myślisz, że znał tę historię z tramwajem?

– Gdyby znał, chyba inaczej traktowałby córkę. Podejrzewam, że dowiedział się dopiero na łożu śmierci, być może od któregoś z braci. I przekazał Szarlocie.

– Dlatego nalegała na przyjazd do Krakowa?

– Masz telefon? – Przytaknął. – Zaraz to sprawdzimy. Możesz zadzwonić do kumpla, który dał ci pracę w Krakowie?

– Debeściaka? A ty nie możesz?

– Z dwóch powodów. Po pierwsze nie mam telefonu – natychmiast podał jej swoją komórkę. Wyciągnęła dłoń na znak, że nie chce. – Po drugie i ważniejsze, nie kontaktuję się z dawnymi klientami. Taka zasada. Jedna sprawa i finito.

– Co mam mu powiedzieć?

– Zapytaj, dlaczego was tu ściągnął. Czy to był jego pomysł czy Szarloty. Tylko nie wdawaj się w gadki szmatki, uderz od razu. Nie zdąży naściemniać.

Niechętnie wystukał numer Debeściaka. O dziwo, Lans odebrał niemal natychmiast. Zwykle włącza się elektroniczna sekretarka, słodkim głosem oznajmiając, że pan domu jest zajęty nauką francuskiego.

– No co tam, stary koniu? – powitał Fiotronia – Jak wakacje? Rajd toyotą udany?

– Właśnie pędzimy przez pustkowie i potrzebny nam drogowskaz – wyjawił od razu Dionizy. – Dlatego dzwonię, żeby zapytać, czy... – zaskoczy Lansa jeszcze bardziej. – Jakich argumentów użyła Szarlota, żebyś nas ściągnął do Krakowa? Bo to przecież był jej pomysł, prawda?

– Jej, choć przyznam – dodał zaraz, odchrząknąwszy – bardzo mi się za wami tęskniło. Ale nie miałem pojęcia, jak to załatwić. Przecież nie zrezygnuję z TAKIEJ forsy. I wtedy Szarlota...

– Podsunęła ci rozwiązanie – dokończył Fiotroń.

– Tak było. Zwalniał się fotel jakiegoś placka od szkoleń, więc marudzę do słuchawki, że teraz to już w ogóle sam będę na piętrze jak ten misiek tatrzański. Na to Szarlota: przecież ty dobierasz obsadę tego, pożal się Boże, teatrzyku. To znaczy powiedziała inaczej, delikatnie, po szarlotkowemu, ale przełożyłem wam na swoje – wyjaśnił Lans. – Jesteś czifem, mówi dalej. No jestem. Więc możesz zatrudnić, kogo tylko chcesz. Zaraz pomyślałem o tej lufie z kiosku, co ją mijam każdego ranka. Ale Szarlota szybko mnie naprowadziła na właściwy trop. Przecież Dionizy robi szkolenia, mówi. Faktycznie! Chwila moment i byliście w Krakowie. Strasznie łebska z niej kobitka. – Debeściak nie krył uznania.

– Chciałbym wiedzieć jeszcze jedno – odezwał się Dionizy, odczytując tekst z kartki podsuniętej przez Brzytwę. – Czy mówiła ci, dlaczego chce tu wrócić?

– Dobre słowo: „wrócić". Tak właśnie powiedziała: „Chcę wrócić na stare śmieci".

– W jakim kontekście?

– Cholera, żebym nie przekręcił – denerwował się Lans. – Zaraz, jak to było. Pamiętam, że wpadłem wtedy do MIASTA na weekend. Ciebie wywiało nad morze.

– Cztery dni szkoleń późnym latem – potwierdził Fiotroń.

– Właśnie. A Szarlota miała badania, okresowe. Podjechałem po nią na Szpitalną, a potem do pubu, odreagować, bo była jakaś roztrzęsiona. Przy piwku dopracowaliśmy szczegóły propozycji nie do odrzucenia. Chytry plan – podsumował Lans, nie bez dumy.

– Pytam wtedy: co ci tak zależy, a ona, że chce zacząć wszystko od nowa.

– Zacząć od nowa? – upewnił się Fiotroń. Nowe miasto, nowy dom, może i nowy mężczyzna.

– Dokładnie, stary. Potem dodała: „A jeśli się nie uda, przynajmniej wrócę na stare śmieci".

– Dzięki, bardzo mi pomogłeś.

– No ja myślę! – ucieszył się Debeściak. – Coś jeszcze? Więc widzimy się po długim majowym weekendzie. Nie daj się zajeździć tej cholerze na śmierć. I podziękuj za dwa tygodnie safari.

– Dwa tygodnie? – zwrócił się do Brzytwy, zakończywszy rozmowę z Lansem.

– Jego sprawa była znacznie bardziej skomplikowana.... – Usiadła okrakiem na kufrze, z pajdą świeżego chleba w dłoni.

– Słyszałaś, co powiedział? Miałaś rację: to był pomysł Szarloty.

– Niestety.

– Niestety?

– Od początku czułam w kościach, że kroi się coś poważnego. Teraz jestem pewna: czeka cię tragedia.

Mało nie buchnął śmiechem. Pytia ze Starego Podgórza, sypiąca ponurymi wróżbami przy razowcu z twarogiem i cebulą. Czuła w kościach, no proszę! Ciekawe, w której dokładnie. W piszczelu, a może w lewym żebrze?

– To cię bawi? – zapytała, odgryzając ogromny kęs chleba. – Twojej żonie grozi śmiertelne niebezpieczeństwo, a ty się głupio uśmiechasz?

– Masz na myśli rozwód?

– Mam na myśli dokładnie to, co powiedziałam.

– Nie rozumiem jednego – ciągnął, nadal się uśmiechając. – Jak możesz siedzieć tak spokojnie i wcinać kromkę, wiedząc, że moja żona może umrzeć.

– A ty, jak możesz siedzieć tak spokojnie?

– Bo dla mnie to absurd. Nie potrafię sobie wyobrazić, kto chciałby śmierci Szarloty.

– Jedna z bliskich jej osób. Być może ta jedyna.

Tego już za wiele! Żeby podejrzewać go o krwiożer-
cze zapędy względem własnej żony? Tylko dlatego, że
myślał o rozwodzie! Bezczelność!

– Chyba sobie pochlebiasz – zgasiła go Brzytwa. –
Miałam na myśli kogoś naprawdę bliskiego. Przed kim
Szarlota na pewno nie udaje.

– Bliskiego? Rodzice nie żyją, dziadkowie również,
rodzeństwa nie ma, a przyjaciółki... no cóż – Szarlota
wyrosła z nich jak z chorób wieku wczesnoszkolnego. –
Ja podobno się nie liczę, dzieci brak, a reszta rodziny
wyłącznie na fotografiach. Więc pytam się, kto jest tą
bliską jej osobą?

– No właśnie, kto? – przymrużyła złośliwie oczy.

Nagle zrozumiał. Jest tylko jedna możliwość.

– Skąd wiesz, że chce się zabić? – wykrztusił wreszcie.

– Bo to jedyne godne wyjście w sytuacji, w której się
znalazła.

– Ale w jakiej sytuacji? Przecież mamy takie ładne...
– umilkł, zażenowany. Wyliczenie wszystkich ładnych
i miłych rzeczy, które mają, byłoby jednak nie na miejscu. Zwłaszcza w obliczu takiego rozmówcy jak Brzytwa. – Przecież nie wie, że chcę odejść. Ja sam do nie-
dawna nie wiedziałem – wyszeptał. – Możesz mi nie
wierzyć.

– Ależ wierzę. A teraz ty uwierz mnie: twoja żona
szykuje się do odejścia już od zimy. Dlatego kupiła puz-

zle i model latającej fortecy. A teraz dla niepoznaki zarezerwowała wczasy na Seszelach. Wszystko do siebie pasuje, wszyściuteńko.

– Wiesz, kiedy to nastąpi?

– Kiedy założy białą sukienkę. No wiesz, zamiast kimona.

– Sukienkę? – Zerwał się na równe nogi. – Szarlota miała dziś na sobie białą princeskę.

*

– Czy mówiła, gdzie się wybiera po południu albo wieczorem? – dopytywała Brzytwa, zatrzaskując drzwi swojego mieszkania.

– Nie pamiętam, śpieszyłem się do ciebie, na spotkanie – wyjąkał Fiotroń. – To jakiś absurd, nawet nie mamy w domu porządnego sznura.

– Chyba nie sądzisz, że się powiesi! Tak robią na ogół rozhisteryzowane nastolatki albo wytrawni konsumenci denaturatu.

– A jak inaczej mogłaby to... – brakowało mu słów – przeprowadzić? Mieszkamy na drugim piętrze, więc skok odpada. Zresztą Szarlota ma lęk wysokości. Żyletką się nie potnie, bo to nieestetyczne. Zresztą używam wyłącznie maszynki. Gaz już nie truje, a psychotropów w domu ani na lekarstwo.

– Wystarczą dwa opakowania paracetamolu i po wątrobie – zdradziła Brzytwa.

– Naprawdę?

– Ale Szarlota wybrała całkiem inny sposób, nie po to kupiła zabawki. Wszystko ma wyglądać naturalnie. Żeby nikt się nie domyślił, że to samobój. Potem ci wyjaśnię, a teraz przypomnij sobie, czy wspominała o swoich dzisiejszych planach?

– Pytała, kiedy wracam, czy zjem na mieście i to chyba wszystko. – Nerwowo bawił się kluczykami od auta.

– Już wiem! Ma potwierdzić nasz wakacyjny wyjazd na Seszele. Przy śniadaniu napomknęła, że dziś to załatwi, tuż przed zamknięciem biura, bo wcześniej idzie na...

– niestety tego sobie nie przypomni.

– Wyjazd na Seszele?

– W biurze przy Karmelickiej – dodał, nie czekając na pytanie.

– Tam nie ma krawężników, łatwo wpaść pod samochód – oznajmiła, zerkając na swój zegarek. – Cholera, znowu drzemie. Którą masz na swoim?

Odsłonił rękaw, pokazując Brzytwie tarczę swojego atlantica. Nie tak efektowny jak omega, którą nosił na studiach, ale kupiony w autoryzowanym salonie. Model World Master, z pozłacaną tarczą.

– Mamy pół godziny. Teraz wszystko zależy, czy złapiemy właściwy tramwaj, bo autem nie przepchamy się.

– Nie rozumiem, co mają z tym wspólnego puzzle – dopytywał Fiotroń, nerwowo skubiąc skórki od paznokcia małego palca. Paskudny nawyk, ale w obliczu TAKIEGO stresu nie może się opanować.

– Twoja żona ubezpieczyła się na życie?

– Musiała, biorąc kredyt na mieszkanie.

– Dlatego tak się stara, żeby zrobić właściwe wrażenie. Puzzle mają udowodnić, że miała wielomiesięczne plany. Kto by chciał się zabić nie dokończywszy ślicznego obrazka Kinkade'a. Ósemka, wskakujemy – oznajmiła Brzytwa.

– A bilety? – krzyknął, kiedy byli już w środku. Zabawne, że pamięta o takich drobiazgach, właśnie teraz, kiedy wszystko może się zdarzyć... nie, nie będzie o tym myślał, bo wyskoczy przez lufcik.

– Ja bym olała, ale jeśli szukasz sobie zajęcia, idź i kup u motorniczego.

Nie miał odwagi się ruszyć. Najwyżej zapłaci mandat. Zawsze jest ten pierwszy raz.

– Dlaczego postanowiła się zabić? – zapytał cicho, kiedy mijali plac Wolnicę.

– Bo nie chce być ciężarem.

– Ciężarem? Przecież gdyby była chora, coś bym zauważył...

– Zauważyłeś. Podałeś mi na tacy niemal wszystkie objawy. Zaburzenia równowagi, czucia i widzenia kolorów.

– To dlatego nie poznała swetra.

– Bingo. Problemy z równowagą i koordynacją ruchową.

– „Smak letnich dni" – wyszeptał Fiotroń.

– Widzisz. Wszystko do siebie pasowało, a kiedy napomknąłeś o serach, byłam już prawie pewna. Znam tę dietę, dosyć skuteczna przy niektórych chorobach autoimmunologicznych. A dziś Debeściak przypadkiem potwierdził, że Szarlota miała badania...

– Podobno okresowe.

– Tak się zwykle mówi, żeby nie budzić popłochu. Regularność badań sugeruje, że chodzi o profilaktykę. A więc o zdrowie. Kto się bada, nie choruje! – zacytowała „profesora mądrą głowę", jednego z najbardziej medialnych lekarzy w kraju. – Ściema do kwadratu. Zwykle badają się ci, którzy są do tego zmuszeni. Przez pracodawcę, własne lęki, a najczęściej przez ciężką chorobę.

– Rak? – wykrztusił Fiotroń, z przerażeniem odkrywając, że ma spocone dłonie. Tyle lat terapii, zastrzyki z botoksu, już był pewny, że wygrał, a tu proszę!

– Coś znacznie gorszego, zwłaszcza dla osoby, która nie lubi tracić kontroli. Z rakiem można czasem wygrać. Z tym cholerstwem można tylko czekać na cud, oddając bez walki kolejne pola.

– To zupełnie jak w *Deszczu pożądania*. – Siedząca tuż obok kobieta zwróciła się do sąsiadki. – Żona Eduardo straciła nagle wzrok i największe sławy z meksykańskich klinik nie umiały się rozeznać, o co chodzi. Już prawie doszło do tragedii, kiedy....

– Co ty mówisz, Teresa – przerwała jej koleżanka – to przecież w *Modzie na sukces* było, jak Taylor Hayes najpierw przestała chodzić, a potem zapadła w śpiączkę.

– Taylor miała gruźlicę – sprostowała staruszka siedząca na miejscu dla matek z dziećmi. – Najpierw gruźlica, potem śpiączka, ale naprawdę to ją zastrzelono! Siła złego na jednego – pociągnęła nosem.

– To Taylor nie żyje? Mój Boże! – krzyknął rencista w szydełkowym berecie. – Człowiek wyjeżdża na pół roku do Irlandii, wraca i wszystko powywracane do góry nogami!

– Proszę państwa – usłyszeli nagle motorniczego. – Na Karmelickiej zdarzył się wypadek i dalej nie pojedziemy. Radziłbym wysiąść przy Filharmonii. Kto chce, może oczywiście zaczekać.

Otworzył drzwi. Brzytwa natychmiast wyskoczyła, ciągnąc za rękaw Dionizego. Pobiegli Plantami. Może to nie Szarlota, niech to nie będzie ona, zaklinał Tego, któremu już od dawna nie zawracał Głowy. Niech choć raz zdarzy się cholerny cud, powtarzał Fiotroń, zdyszany przypominając sobie fragmenty rozmów. Strzępki zdań, wymieszanych bez składu i ładu:

„Będziesz dzisiaj wieczorem?"

„Koło szóstej".

„To chyba się nie spotkamy, bo muszę wtedy potwierdzić Seszele. No wiesz, wakacje w raju".

„Wakacje w raju".

„Zamówię jeszcze maski jonowe. Jutro mogłabym nie zdążyć".

„Możesz na mnie polegać jak na scyzoryku z dożywotnią gwarancją".

„Ciekawe, gdzie jest punkt napraw?"

„Nie musisz się martwić, awarii nie będzie".

„Zapalić ci światło, czy wolisz siedzieć po ciemku".

„Po ciemku".

„Koniec na dziś".

„Ale zleciało".

„Do zobaczenia".

„Awarii nie będzie".

Koniec na dziś, wyszeptał, dostrzegając na jezdni kremowy pantofelek żony.

*

– Dlaczego nie powiedziałaś mi wcześniej?

– Dlaczego nie wyrażałaś się jaśniej?

– Dlaczego nie zmusiłaś mnie do działania?

– Dlaczego pozwoliłaś, żebym był takim palantem?

– Dlaczego do niej nie zadzwoniłaś?

– Dlaczego ty jej nie uratowałaś?

W pierwszej chwili chciał jej wykrzyczeć wszystkie pytania, ale zadał tylko jedno.

– Dlaczego nie zrobiłaś nic, żeby ją przekonać? – wyszeptał, kiedy już odebrali z zakładu medycyny sądowej osobiste rzeczy Szarloty, zapakowane w czysty woreczek.

– Bo nie miałam żadnych argumentów.

Odszedł wtedy zrozpaczony, bez pożegnania. Spotkali się potem na pogrzebie. Brzytwa stała tuż obok, przy zamkniętej trumnie. Po ceremonii, kiedy został już sam na opustoszałym cmentarzu, lekko pogłaskała go po ramieniu i odpłynęła, sam nawet nie wie, kiedy. Znikła, a on stał jeszcze długo, prześlizgując niewidzącym wzrokiem po napisach zdobiących wieńce.

A potem? Dionizy nie chce pamiętać, co było potem. Dziesiątki nieistotnych procedur, formalności, także dotyczących kredytu. Rozmowy, z policjantem, z grabarzami, ze specjalistą od nagrobków, z jej rodziną, z jego rodziną, ze znajomymi. Upokarzające przesłuchanie w banku, drugie, trzecie, wreszcie decyzja o wypłacie odszkodowania. Pieczątki, smutne uśmiechy, podpisy, kondolencje, ściszone głosy, poklepywanie po ramieniu i własne łzy. Pierwszy raz rozpłakał się, wróciwszy do pustego mieszkania. A potem, dopiero kiedy zobaczył książki.

Facet od fotografii nagrobkowej wydzwaniał kolejny dzień, tłumacząc, że z dowodowego, panie, wyjdzie kicha, nawet żeby zasepiować. Dionizy obiecał, że poszuka i, wytarłszy spocone dłonie o stare dżinsy, zajrzał wreszcie do JEJ gabinetu. Był tu tylko raz: po dokumenty. Przez następny miesiąc nie przekraczał progu nawet swojej pracowni. Świadomość, że za ścianką jest jej gabinet... nie, to nie do wytrzymania. Zresztą spędzał w domu niewiele czasu. Przesiadywał do wieczora w firmie, potem w przypadkowych kawiarniach i wracał późno, by od razu położyć się na sofie w salonie. Czasem nocował u Debeściaka lub na biurowej kozetce. Ale wreszcie musi się ogarnąć i ruszyć do przodu. Nacisnął mosiężną klamkę. Stojąc w drzwiach, rozglądał się, zdumiony panującym tu porządkiem. Na półkach trzy segregatory. Sekretarzyk prawie pusty, nie licząc powieści, którą Szarlota czytała w przeddzień śmierci. Obok szkatułka, w której trzymali swoje obrączki. „Poza tym nic, w całym pokoju nie nosiło piętna jej osobowości, chyba tylko czystość nielicznych mebli"*. Z białej witrynki stojącej obok okna, ostrożnie wyjął wszystkie albumy. Przeszedł do salonu i zaczął przeglądać, odkrywając ze zdziwieniem, że nie ma żadnych zdjęć Szarloty. Owszem, kryła się po drugiej stronie aparatu, ale czasem udało się ją schwytać w kadr. Zwykle przypadkiem, jak na ostatnim Sylwestrze u Debeściaka albo podczas zwariowanej parapetówki u kolegi

---

* Edith Wharton, *Świat zabawy*, Oficyna Wydawnicza RYTM, tłumaczyła Ariadna Demkowska-Bohdziewicz.

z działu promocji, Damiana. Lans śmiał się wtedy, że Szarlota wygląda na tych fotkach jak przerażona welonka. Nic dziwnego, że się ich później pozbyła. Ale co z fotografiami pozowanymi? Co z tymi, które upamiętniały ważne w ich życiu chwile? Nie ma nawet zdjęcia z ich ślubu, wyszeptał Dionizy. Ani z wesela. Zostały tylko te, na których stoi sam. Albo tańczy z inną damą. Może Debeściak będzie miał jakieś, pocieszał się Dionizy, przetrząsając kolejne szuflady szafki stojącej w sypialni. Tam też trzymali rozmaite pamiątki i biżuterię. Na dnie pustej (!) kasetki dostrzegł podniszczone zdjęcie grupowe z pamiętnego wyjazdu w góry, po którym zostali parą. Ranek, wszyscy na kacu, zmięci i otuleni szalami niczym pensjonariusze górskiego sanatorium. Tylko Szarlota w pełnym rynsztunku, roześmiana, jakby miała ruszyć na podbój świata. Obok on, w modnym swetrze, uśmiechnięty aż po górne ósemki. Można by pomyśleć, że jesteśmy najszczęśliwszymi ludźmi pod słońcem, mruknął, drąc fotografię na strzępy.

A więc pozbyła się zdjęć, biżuterii i niektórych ubrań. Czego jeszcze? Znowu rozejrzał się po salonie i tym razem zauważył: nie ma żadnych pamiątek z wakacji, które przypominałyby wspólnie spędzone chwile. Zostały tylko te drobiazgi, które Fiotroń kupił sam na wyjazdach szkoleniowych. A książki? Przeskanował wzrokiem zawartość biblioteczki, zwracając uwagę na tytuły. Wśród kontrowersyjnych nowości, młodej ambitnej literatury, klasyki w twardych okładkach i dzieł noblistów wyłuskał:

Doświadczenie żałoby Helen Alexander (tuż za powieściami Majgull Axelsson),

Jak sobie poradzić z życiową tragedią (wciśnięte przed Galsworthym),

Balsam dla duszy w żałobie (między *Wilkiem Stepowym* a opowiadaniami Kereta. Kereta, po którego sięgnął parę razy!),

Po stracie bliskiej osoby Alaurica Lewi,

dwie książki o nadziei, autorstwa francuskiego pastora tuż przed... opowiadaniami Szukszyna.

Czy znalazł książki o chorobie Szarloty? Zaledwie cienką broszurkę na temat diety w zaburzeniach neurologicznych. To wszystko. Wtedy rozpłakał się po raz drugi.

*

W trzeci lipcowy wtorek zajrzał do Wesołego Ogórka. Ta, która miała mu pomóc, sunęła właśnie przez salę obciążona ogromną tacą pełną tybetańskich pyszności. Pierożki momo, zupa sambar, wonne kimchee, deser mnicha. I napój życia, wyduszony z orkiszowych kiełków. Ze swadą rozrzuciła kamionkowe naczynia dookoła klientki i już miała wycofać się do kuchni, kiedy dostrzegła Fiotronia. Odłożyła tacę na wolny stolik i powoli podeszła.

– Przyszedłem wreszcie zapłacić – wskazał puszkę przy kasie. – A przy okazji niespodzianka. Znalazłem w biblioteczce Szarloty. Twoje?

– Szukszyn? – ucieszyła się. – Dzięki!

– To ty dobierałaś tytuły?

– Razem z chrzestnym. Wiesz, że czytam tylko opowiadania – postukała palcem w okładkę Szukszyna.

– Poznałyście się?

– Rozmawiałyśmy dwa razy. Sprawiała wrażenie osoby, która wie czego chce. I na pewno nie była ofiarą.

– Jak samuraj? – Przygryzł usta. – Czy kiedy zwróciłem się do ciebie o pomoc, wiedziałaś, że to moja żona?

– Domyśliłam się dopiero, kiedy wspomniałeś o Kerecie. Nikt inny o niego nie prosił. A Szarlota poprosiła od razu, o wszystkie tomy. Taki dobry? – zapytałam. Zamiast odpowiedzieć, przytoczyła z pamięci jego słowa: „Kiedy pojawiamy się tu, na Ziemi, jesteśmy przegrani, już na starcie. Przegrani, bo umrzemy. Przegrani, bo nie decydujemy prawie o niczym co ważne. Przegrani, bo nie możemy zmienić tego, na czym najbardziej nam zależy. Ale w tej z góry przegranej wojnie, możemy coś pokazać: piękne gesty. Nazywam to odchodzeniem z klasą". Najsmutniejszy błazen naszych czasów, podsumowała.

„Najsmutniejszy błazen...", Dionizy nawet tego nie zauważył. Skupił się wyłącznie na akcentach groteskowych i czarnym humorze.

– Coraz zrobisz? – zapytała cicho.

– Sprzedam mieszkanie i chyba wyjadę na trochę. Może w góry.

– A potem?

– Spróbuję żyć. Naprawdę.

Lekko skinęła głową.

– Pola – odezwał się po chwili. – Mimo wszystko dziękuję.

– Wiem, ale nie polecam się na przyszłość.

– Naprawdę mi pomogłaś.

– Tylko bez uścisków na pożegnanie. Bo zaleje mnie fala oksytocyny i będę płakać z tęsknoty po nocach – zażartowała. – My kobiety tak mamy, podobno.

– Mnie by zalała krew, gdybym czytał o sobie podobne rewelacje. Podasz mi chociaż dłoń?

– Którą wolisz?

Wyciągnęła przed siebie ogromne łapska. Jak podolski złodziej, uśmiechnął się smutno Dionizy, przypomniawszy sobie incydent na targu.

– Może dla odmiany lewą? Na dobry początek.

– Na dobry początek. – Uścisnęła jego dłoń z całej siły, aż syknął. A potem popchnęła lekko w stronę wyjścia. – No, skoro już ci lepiej, to pędzę do roboty, bo młyn.

– Będę tęsknił.

– To mija – pocieszyła go, zbierając ze stolika obok brudne talerze. – Tylko pamietaj o trzecim kroku.

– Jak rozpoznam twoją następną ofiarę? – zażartował, odwracając się już w drzwiach baru.

– Będziesz wiedział.

KONIEC

Na pocieszenie możemy uchylić rąbka kolejnej sprawy, którą zajmie się Brzytwa

Zwykle dostaję afobam albo pernazynę, ale tym razem w przychodni był nowy lekarz. Niby nowy, a już sponiewierany przez mroczne historie pacjentów i własny kompleks Edypa. Posłuchał, ziewnął, przetarł wielkie okulary w stylu Yves Saint Laurenta, upił łyk zimnej kawy, ziewnął, przyjrzał się fotografii matki straszącej z ekranu starego monitora, znowu łyk zimnej kawy, i wreszcie wypisał receptę. sajlentnajt. Nowy, bezpieczny, całkiem tani, uzależnia dopiero po miesiącu. Kupiłem, a co tam! Jestem otwarty na nowe doświadczenia.

– Wie pan, jak zażywać? – spytała farmaceutka, zmierzywszy mnie wzrokiem argentyńskiej dożycy.

– W zasadzie...

– Nic pan nie wie – warknęła. – Jedna tabletka, kwadrans przed snem, prosto do łóżka i nie otwierać oczu, bo będzie się działo. Sny panu wyjdą na kołdrę jak żywe.

Wieczorkiem wskoczyłem w piżamę i pyk: od razu dwie tabletki. Jak szaleć, to szaleć. Leżę pod kołdrą, czekam na błogi sen i nagle mi się przypomina, że przecież jeszcze nie jadłem kolacji. Co tu zrobić, myślę, przecież miałem się nie ruszać. A w pustych kiszkach hulają wiatry. E tam, szybko pobiegnę do kuchni, zdążę przed snem. W try miga dopadam lodówki i buszuję. Pierwsza półka – zimno, druga – coraz zimniej, zamrażalnik – lód. Jeszcze się nie poddaję. Pojemniki na jajka, na warzywa, kosz na śmieci, wreszcie chlebak. Hurra – z boku po lewej wymacałem trzy małe bułki. Niby świeże, ale pulsujące błękitnym światłem. Wziąłem tę najmniej niebieską i szukam sosu. Jest sos, wprawdzie podany na gazecie, ale ja snob nie jestem, z porcelany jeść nie muszę. Ważne, że sam sos całkiem OK, z dużą ilością pieprzu i krwistego mięsa. W tym „Przekroju" to naprawdę pichcą! Dokończyłem bułkę i wracam do pokoju. Ale już widzę, nie będzie tak łatwo. Najpierw muszę odkleić pośladki od stołka. Zassały się cholery jak dwa glonojady do szyby akwarium i nie puszczają, choć ciągnę z całych sił. Będę musiał pomóc sobie cedzakiem. Podważyłem lewy pośladek i biorę się za prawy. A prawy też jakiś lewy! Koniec świata! Udało się wreszcie, ale wolę nie myśleć, jak teraz wygląda mój tyłek. Zwisa do kolan, będę musiał iść na jakiś lifting. Ale to jutro, dziś mam ważniejsze sprawy.

Najpierw przeprawa przez korytarz, dodam najdłuższy w nowoczesnej Europie. Przez kwadrans biegnę, ile tchu, wreszcie wpadam na chodnik i dopiero się zaczyna. Bunt kwiatów! Wynurzyły się nagle z tapet i falują. A razem z nimi ściany, sufit, nawet podłoga. Nie dam się sprowokować, myślę, zamknę oczy i przemknę po omacku. Ale gdzie tam! Ledwo przymknąłem lewe oko, powieka odjechała mi na pół metra, tuż przed gałkami pojawił się gość ulepiony z budyniu i zaczyna mnie łaskotać po źrenicy. Aż się popłakałem! No nie, taki kontaktowy to ja nie jestem, żeby mnie gilgał nieznajomy barbapapa. Koniec igraszek! Strzepnąłem łobuza dłonią, wdeptałem w chodnik i rura do pokoju. Szybko, szybko, myślę, bo kwiaty nie żartują, wręcz przeciwnie: pozwalają sobie coraz bardziej. Oplatają kostki, syczą niczym żmije, kłują tandetnymi barwami. Zziajany wpadam wreszcie do sypialni i z hukiem zatrzaskuję drzwi. W ostatniej chwili, bo kwiaty już zaczęły szczypać futrynę.

Co tu zrobić? Muszę koniecznie z kimś pogadać, żeby się uspokoić. Z kimś przyjaznym, bezpiecznym, miękkim. Mam! Pogadam z jaśkiem! Sam zresztą przypełzł mi pod nogi i ociera się jak kot mojej ciotki, gruby Zygmunt. Wygina grzbiet, mruczy, nastawia rożki do głaskania. I prosi, żebyśmy popatrzyli w telewizor. Dobra, tylko gdzie pilot? Rozglądamy się z jaśkiem gorączkowo. Pod gumowym stołem nie ma, za krzesłem z półnut też nie. Tu go mamy, krzyczy jasiek, za doniczką. Wszystko jasne: pilot wstydzi się, bo strasznie spuchł i wygląda jak ogromna kajzerka, a przyciski ma z ziarenek czarnuszki. Czy można trafić w taki przycisk? Można, językiem pod warunkiem, że jest grubości zapałki. Włączam Polsat, a tam specjalny komunikat. Dla mnie i jaśka. Uwaga na grochy czające się pod łóżkiem! Skąd się tam wzięły? Uciekły z piżamy i teraz dokazują, wyjadając plastikowe sęki z paneli. Hałasują przy tym, o trzeciej w nocy! I co ja powiem jutro sąsiadce z dołu? Że gości miałem? A sen nie nadchodzi! Nie ma rady, trzeba wziąć trzeci sajlentnajt. Łyknąłem na sucho, bo do kuchni po wodę jakoś nie bardzo. A nuż znowu dopadnie mnie stołek? Więc łyknąłem, dopychając językiem, aż do żolądka. Jedną tabletkę podrzuciłem jaśkowi, chytry nie jestem, jak kogoś lubię, umiem się podzielić. Potem hop, pod kołdrę i leżymy. Może by tak jeszcze sprawdzić pocztę? Coś mi się widzi, że dostałem maile od księcia Karola. Miał napisać, kiedy do mnie wpadnie na pierogi. Wyciągnąłem nogę spod jaśka i stopą sięgam do laptopa stojącego w drugim kącie pokoju. Włączam dużym palcem „start", gotowe: z ekranu wysypują się na biurko zielone koperty. A w każdej wiadomość od groszków: „Nadchodzi..." i właśnie wtedy dopadł mnie sen.